**colecção**

**volumes publicados:**

**volumes a publicar:**

Ana Maria Magalhães
Isabel Alçada

# na Serra
# da Estrela

Ilustrações de
Arlindo Fagundes

CAMINHO

3ª edição

UMA AVENTURA NA SERRA DA ESTRELA
(3.ª edição)
Autoras: Ana Maria Magalhães e Isabel Alçada
Ilustrações: Arlindo Fagundes
Capa: Arranjo gráfico da Editorial Caminho
sobre ilustrações de Arlindo Fagundes
Orientação gráfica: Secção Gráfica da Editorial Caminho
Revisão: Secção de Revisão da Editorial Caminho
© Editorial Caminho, SA, Lisboa — 1993
Tiragem: 15 000 exemplares
Composição: Secção de Composição da Editorial Caminho
Impressão e acabamento: Heska Portuguesa, SA
Data de impressão: Setembro de 1995
Depósito legal n.º 65 480/93
ISBN 972-21-0837-9

*Aos queridíssimos leitores*
*que nos escreveram a pedir*
*Uma Aventura na Serra da Estrela*

## Agradecimentos

Para fazer este livro tivemos o apoio de várias pessoas a quem queremos agradecer:

Dr. Pereira Coelho e sua família

Nuno Pereira Martins

# Capítulo 1

# O nevão

Dentro da carrinha o ambiente era de grande euforia. Falavam todos ao mesmo tempo, riam, cantavam em coro. Os cães participavam como se também eles tivessem a sensação de realizar um velho sonho: ir à serra da Estrela e ver a neve!

— Está tudo tal e qual como eu tinha imaginado — repetiram as gémeas pela milionésima vez.

O condutor sorriu-lhes através do espelho. Era um homem de meia-idade, simpático e bonacheirão. Adorava receber pessoas que não conhecessem a serra para poder deslumbrá-las não só com a beleza da paisagem mas também com histórias mirabolantes.

O dono da Quinta de S. Francisco pedira-lhe que trouxesse da estação o sobrinho e alguns amigos que vinham de férias. Aceitara da melhor vontade, pois, tratando-se de gente nova, calculava que reagissem de forma entusiasta aos encantos da região. Assim era. Mas ainda não conseguira contar-lhes coisa alguma porque não se calavam. Pouco disposto a contentar-se com o papel de motorista, resolveu surpreendê-los. Deu uma guinada brusca, saiu da estrada e enveredou por um caminho secundário coberto de neve, onde só se podia avançar com segurança mantendo as rodas nuns trilhos quase apagados.

— A quinta é por aqui? — perguntou o Chico.

— Não. A quinta ainda fica longe. Mas como não temos pressa, resolvi mostrar-lhes uma coisa que nunca viram.

— O que é?

— Não digo. Gosto de surpresas.

Fez-se silêncio, um silêncio de expectativa. Agora ouvia-se apenas o ruído do motor e o assobiozinho ligeiro do Sr. Cristóvão, satisfeitíssimo por ter conseguido tornar-se o centro das atenções.

— Cá por mim não há sítio mais bonito no mundo do que a serra da Estrela — declarou de chofre. — Pena é que apareça tão pouco na televisão. Passam a vida a filmar terras sem interesse nenhum quando tinham aqui tanta paisagem linda... São uns palermas. Quando aparecem por cá, enfiam-se nos hotéis, dão uma voltinha e pronto! Está o passeio feito.

Interrompeu a frase e travou a fundo.

— Chegámos. Se não têm medo do frio venham comigo atrás daquela rocha. Garanto-vos que vale a pena.

Escusado será dizer que o desafio agradou a todos.

Saíram da carrinha ansiosos por pisar o manto branco que se estendia pelas encostas a perder de vista. Não tinham botas, nem luvas, nem gorros, mas também não lhes sentiam a falta. Correram para a neve em grande alvoroço, e a experiência não os desiludiu. Os pés enterravam-se até aos tornozelos com um leve rangido de cristais triturados e depois vinham ao de cima sem qualquer dificuldade. Era como se caminhassem nas nuvens.

João foi o primeiro a lembrar-se de moldar uma bola de neve. Assim que ficou pronta atirou com ela à cabeça do Pedro, e daí a nada estavam todos envolvidos numa alegre batalha.

O Sr. Cristóvão teve um trabalhão para acabar com aquilo.

— Vão ficar doentes! — berrava. — Vocês não estão equipados como deve ser!

Ninguém ligou nenhuma até que o *Caracol* começou a tiritar e a gemer baixinho. Só então as gémeas decidiram pôr ponto final na brincadeira. Luísa enfiou-o dentro do anoraque e percebeu que também estava cheia de frio. No entanto, não quis dar parte de fraca. Cerrou os dentes para o queixo não tremer e acompanhou os outros até junto da tal rocha. Do outro lado, que espectáculo! Uma cascata completamente gelada exibia água como ela nunca está: em repouso e em movimento! Os comentários que fizeram e as exclamações de admiração deliciaram o Sr. Cristóvão.

— Vamos embora, senão faz-se tarde.

Soube-lhes bem regressar ao interior do carro. Acomodados entre sacos e mochilas, seguiram viagem, não pela estrada mas por atalhos.

— Não vale a pena voltarmos para trás. Por

aqui também chegamos à Quinta de S. Francisco. É um caminho antigo que pouca gente conhece mas que eu conheço muito bem, e poupam-se alguns quilómetros. Não podemos perder tempo porque ou me engano muito ou vai nevar outra vez.

Olhando o céu, constataram que estava bem escuro. Os primeiros flocos caíram no pára-brisas quando subiam um carreiro íngreme.

— Neve! — gritaram em coro.

João abriu a janela e pôs a cabeça de fora para apanhar com os flocos na cara, mas os outros reclamaram:

— Assim gelamos!

Ele subiu o vidro e olhou para trás.

— Está vento — disse.

O Sr. Cristóvão interrompeu-o:

— Ora ora... isto é uma brisa. Quando o vento sopra com força a neve dança em remoinho. É bonito de se ver mas também assusta. Agora já não há nevões como havia antigamente. Era cada tempestade! Uma vez fui apanhado desprevenido lá para as bandas de um rochedo que se chama Cabeça da Velha. Julguei que não me safava!

A entoação da voz cativou-os porque transmitia sentimentos contraditórios. Embora falasse de momentos difíceis, era evidente que tinha saudades dessa aventura. Distraídos a ouvi-lo, não prestaram mais atenção ao que se passava lá fora.

— Nem que viva cem anos, nunca hei-de esquecer aquele dia. Foi horrível. Eu já sabia guiar mas ainda não tinha idade para tirar a carta de condução. Um amigo mais velho convidou-me para irmos experimentar o carro que ele tinha comprado e lá fomos serra acima. Estava um céu cinzento como o de hoje. E também começou a nevar assim. Primeiro vieram flocos pequeninos, depois levantou-se vento rijo, formaram-se remoinhos de neve...

Pedro inclinou-se e apoiou os braços nas costas do banco em que viajava o João, completamente fascinado pelo relato. O homem parecia um feiticeiro com poderes sobre a natureza, pois logo que evocava um fenómeno, o fenómeno produzia-se. Já se levantara vento rijo e em torno do carro giravam remoinhos de neve... Seria só ele a reparar na coincidência?

Não falou no assunto em voz alta para não quebrar o encanto. Sentia-se a viver uma experiência fantástica e queria prolongá-la. Aguardou a frase seguinte com impaciência. Iria concretizar-se também?

— A certa altura caiu sobre nós um nevoeiro cerrado. Não se via um palmo adiante do nariz. O meu amigo, coitado, agarrava-se ao volante com quantas forças tinha e quase saía pelo vidro da frente de tanto esticar o pescoço...

Para exemplificar, tomou a mesma posição e calou-se. Nesse momento repararam todos que acabavam de entrar numa zona de nevoeiro cerradíssimo. Os faróis de pouco serviam porque a luz se espalhava num feixe difuso e não atingia o caminho. Rajadas cada vez mais fortes abanavam o automóvel.

— Ó diabo! — murmurou o Sr. Cristóvão.
— Com esta é que eu não contava...

As gémeas entreolharam-se, vagamente inquietas, mas os rapazes fizeram sinal como quem diz «não liguem». Até era divertido serem apanhados no meio de uma tempestade de neve. O motorista, sendo um homem da serra, decerto sabia safar-se.

Fitaram-no e o que viram não foi de molde a deixá-los muito descansados. Com as mãos crispadas no volante procurava não perder o controlo do carro, cujas rodas traseiras derrapavam no gelo. A neve caía agora com tal intensidade que os limpa-pára-brisas quase não conseguiam cumprir a sua missão. Balançando com um ritmo mais lento do que o habitual, foram afastando montículos brancos para a direita e para a esquerda até que uma rajada violenta os arrancou do suporte.

— Ó diabo! — repetiu o Sr. Cristóvão.
— Assim não vejo nada. Temos que parar.

Ninguém lhe respondeu e ele, apercebendo-se de que estavam assustados, tentou aligeirar o problema. Mas o que disse ainda os assustou mais:

— Vamos aguardar que a neve abrande porque nesta zona há precipícios à beira do caminho. Se me resvala uma roda, zás! Malhamos no desfiladeiro.

O à-vontade soava a falso.

— Vocês são habilidosos? — perguntou para os entreter. — É que vou precisar de ajuda para pôr as correntes nas rodas. Trago-as aí atrás numa caixa amarela.

Chico tratou logo de amarinhar pelas mochilas em busca da caixa amarela, pois o que mais o horrorizava neste mundo era estar quieto. No entanto, por muito que procurasse, não encontrou caixa amarela de espécie nenhuma.

— Aqui só vejo cestos!

— É verdade! Tirei tudo o que não era preciso para meter a vossa bagagem e umas cestas com queijo e pão que me pediram para trazer.

— E agora? — arriscou a Luísa num tom de voz quase inaudível.

— Vou tentar seguir mesmo sem correntes.

O nevoeiro levantou um pouco. Talvez fosse possível prosseguir caminho.

Cristóvão rodou a chave da ignição, carregou no acelerador e... Brrr... As rodas giraram sobre si mesmas, cuspindo esguichos de neve para trás. O carro não saiu do mesmo lugar.

— Se empurrarmos todos ao mesmo tempo isto anda — disse o Chico, já com uma perna de fora. — Venham comigo.

Conjugaram esforços e fartaram-se de empurrar, sem qualquer resultado. Cada aceleradela servia apenas para as rodas se afundarem. Não tardou que estivessem irremediavelmente atascados na neve.

Voltaram para dentro espavoridos e enregelados.

— Temos de esperar que passe alguém — exclamou o Pedro. — Oxalá não demore muito...

Cristóvão franziu as sobrancelhas.

— Nesta estrada secundária há pouco trânsito e debaixo de uma tempestade com certeza não aparece vivalma. Preparem-se, porque o mais certo é dormirmos aqui esta noite.

— Morremos de frio — balbuciou o João.

— Não te aflijas, pá... Vocês embrulham-se nas roupas que trazem e eu vou ligando e desligando o motor para termos aquecimento.

— Por que é que não o deixa sempre ligado? — perguntou a Luísa.

Ele hesitou antes de dizer a verdade. Mas naquelas circunstâncias o melhor era falar claro.

— Tenho pouca gasolina...

# Capítulo 2

# A casa do medo

Passava da meia-noite quando acabou a gasolina. O carro foi-se abaixo, não voltou a pegar, e eles perceberam então que tinham sido imprudentes ao fazerem brincadeiras na neve sem o equipamento adequado. Os sapatos continuavam húmidos, as meias também, e seria complicadíssimo no aperto em que estavam ir abrir as mochilas para se mudarem.

Completamente enregelados, aconchegaram-se uns aos outros em busca de calor físico e humano. O único som regular era a respiração do *Faial.*

— Não podemos ficar aqui — disse o Sr. Cristóvão num tom muito sério. — Receio que caia outro nevão e que a temperatura baixe ainda mais.

— Se o carro não anda, que havemos de fazer?

— Não anda ele mas andamos nós. Um pouco adiante há uma casa abandonada. Temos que tentar chegar até lá para nos abrigarmos.

A perspectiva de saírem para o exterior numa noite tão escura e desabrida não era nada agradável. No entanto, bastou pensarem em agir para sentirem algum alívio. Foi portanto com verdadeiro frenesi que revolveram a bagagem. Retiraram vários pares de meias de lã, botas de chuva, a camisola mais grossa, as luvas, gorros e as indispensáveis lanternas com que tencionavam iluminar o caminho.

— Sigam-me em fila indiana. E não se afastem por motivo nenhum.

O Chico encabeçou o cortejo, com o *Caracol* nos braços para as gémeas se mexerem mais à vontade. Logo a seguir ia o João, o *Faial*, as raparigas. Pedro ficou na retaguarda de propósito. Assumira o papel de vigilante, ou seja, queria ter sempre diante dos olhos o número de lanternas acesas para controlar o grupo. Se alguém caísse, estaria alerta. Não confessara aos amigos que tinha vontade de bater no Sr. Cristóvão, e agora aproveitava a distância para resmungar a meia voz:

— Parece impossível que nos tenha trazido para caminhos secundários. Se nasceu aqui, tem a obrigação de reconhecer indícios de tempestade no ar. Sair da estrada foi um disparate. Lá na Quinta de S. Francisco com certeza estão em pânico. Já devem ter andado à nossa procura, se calhar até preveniram as autoridades. Mas como é que nos encontram? Não podem adivinhar onde é que o motorista teve a triste ideia de nos meter. Caminhos secundários há muitos...

A raiva aumentou quando uma rajada de vento fez balançar os ramos de uma árvore próxima de modo a acertar-lhe em cheio com uma pasta de neve na cara. «Baf!»

Sacudiu-se, agitando o corpo à maneira do *Faial*, e preparava-se para resmungar ainda mais alto. Se não o fez foi porque viu a lanterna do Chico iluminar um portão de quinta. Acelerou o passo e juntou-se ao grupo.

A casa erguia-se no centro daquilo que devia ter sido um jardim mas onde agora havia apenas neve, árvores e arbustos de aspecto selvagem. A fachada era a perfeita imagem do abandono. Portadas de madeira carcomida descaíam nas janelas, deixando à mostra vidros sujíssimos onde as lanternas obtinham reflexos sinistros. Na parede feita com grandes blocos de granito irrompiam tufos de plantas bravias muito retorcidas. Diante da porta acumulava-se um verdadeiro monte de neve.

Noutras circunstâncias teriam fugido dali a sete pés. Mas assim a única coisa que desejavam era entrar o mais depressa possível. O Sr. Cristóvão tentou arrombar a porta sem qualquer êxito.

— Deve ter uma tranca pelo lado de dentro.

— Então rebentem uma janela — pediram as gémeas. — Aqui parados morremos de frio.

— Eu já nem sinto a ponta do nariz.

— E eu acho que não tenho orelhas... Perdi o gorro pelo caminho...

Chico mandou-as calar. Avaliara os pontos fracos da casa e concluíra que havia uma janela mais vulnerável. Como estava enervado, exigiu silêncio para poder executar a tarefa que se propunha. Chamou o Pedro, saltou-lhe para os ombros e daí içou-se até ao parapeito, que felizmente era bastante largo.

As portadas não ofereceram grande resistência. Tinha era de ter cuidado, pois não queria ferir-se nos vidros. Usou o cotovelo e... plinc... plinc... partiu dois vidrinhos minúsculos junto ao fecho. Depois meteu os dedos com todo o cuidado e abriu a janela.

Os amigos viram-no desaparecer no interior da mansão com um estremecimento que não saberiam definir.

— Depressa, Chico! Depressa! — repetiam as gémeas em coro, enquanto saltitavam ora num pé ora noutro.

Quando a porta se abriu precipitaram-se todos lá para dentro. Todos menos o Sr. Cristóvão, que recuou de cabeça erguida como quem escuta um ruído ao longe.

— Parece que ouvi um motor. Talvez andem à nossa procura... Vou ver o que se passa. Não saiam daqui, hã?

Pedro encarou os amigos com um frémito de prazer. Debaixo de telha sentiam-se em segurança. Uma casa desconhecida por explorar é sempre excitante. E já que tinham ficado sozinhos, melhor!

— Temos que nos organizar — disse.

A sua voz tremia um pouco e os olhos brilhavam de entusiasmo. Os outros ouviam-no, igualmente excitados. Embora todos tivessem ideias próprias, resolveram deixá-lo tomar iniciativas. Logo que surgisse a oportunidade, dariam palpites e Pedro saberia ouvi-los.

— O Sr. Cristóvão pode demorar pouco mas também pode demorar muito. Acho que devemos

24

poupar energia, portanto apaguem as lanternas. Fica só uma acesa, a minha.

Obedeceram-lhe. Teresa não resistiu a sugerir:

— Já pensaste que talvez a casa tenha luz?

Concluíram que não tinha depois de experimentarem vários interruptores e o próprio quadro de electricidade.

Pedro passeou então o foco pelo compartimento onde se encontravam. Era uma espécie de entrada bastante espaçosa com portas a toda a volta.

— Por onde é que querem começar? — perguntou.

Impulsivo como sempre, Chico abriu a porta que estava mais perto e logo recuou apertando o nariz.

— Ah! Que cheiro! Deve haver aqui um rato morto.

Fechou a porta com estrondo e abriu outra. Foram todos espreitar mas não encontraram nada de especial. Tratava-se de uma despensa estreita e comprida, atafulhada quase até acima com cadeiras e mesas de jardim a desfazerem-se, raquetas de ténis sem rede, *skis* antigos de madeira, gabardinas, capas de veludo com grandes buracos de traça, um guarda-chuva com as varetas à mostra e uma quantidade inexplicável de chapéus de homem em feltro cinzento cobertos de pó.

Já nenhum deles pensava na tempestade, no frio, na solidão, porque estavam divertidíssimos. Que lhes reservaria a porta seguinte?

Foi Luísa quem rodou a maçaneta de loiça

azul e branca. Fê-lo devagarinho para saborear melhor a descoberta. De todas as bocas saiu o mesmo «ah!» assim que transpuseram a ombreira. Esquecidos das precauções, acenderam as cinco lanternas para gozarem em cheio o espectáculo. Estavam numa sala enorme com lareira ao fundo e imensos móveis protegidos por lençóis velhos, o que dava ao ambiente um aspecto insólito. Nas janelas pendiam cortinados de seda vermelha que provavelmente se desfariam se alguém lhes tocasse. Sobre as tábuas do chão enrolava-se um tapete com muitos metros de comprimento e cor indefinida. À direita, um piano. E por cima do piano um quadro que os deixou pregados ao chão. Representava uma rapariga em vestido de baile. Sentada numa poltrona, com as mãos cruzadas sobre o colo, inclinava a cabeça como se prestasse atenção a qualquer coisa fora do quadro. Os cabelos loiros caíam-lhe em cascata sobre os ombros. Estava séria mas nos olhos azuis um pouco contraídos bailava um sorriso de troça.

Na moldura uma placa de cobre dizia-lhe o nome: *CAMILA*.

Durante um bom bocado não conseguiram afastar-se dali. Até os cães pareciam hipnotizados pela figura. Sentados nas patas traseiras, não desfitavam a rapariga.

De súbito uma corrente de ar gélido atravessou a sala, revolveu-lhes os cabelos e provocou um arrepio geral.

Pedro virou-se para os amigos com uma expressão interrogativa. Parecera-lhe ver agitar-se um dos folhos do vestido de baile e queria saber se os outros tinham tido a mesma ilusão. Como ninguém disse nada, achou melhor não falar no assunto.

— Devíamos explorar o resto da casa — propôs o Chico.

As gémeas acenaram que sim mas pediram--lhe que fosse à frente, e ele fez-lhes a vontade.

Passaram por uma sala de jantar de mobílias pesadas, por uma cozinha antiga com fogão a lenha, depois subiram ao andar de cima, onde só havia quartos, e não puderam subir ao sótão porque a escada estava interrompida. Faltavam--lhe os degraus do meio.

O percurso fora difícil e penoso para todos. A escuridão, o frio, o cheiro a mofo e sobretudo o ranger constante das madeiras tornavam-se incomodativos.

— Estou cansadíssima — disse a Teresa.

— Vamos lá para baixo descansar.

— Podemos acender a lareira.

— Com quê? Queimamos os móveis?

— Que disparate! Lá porque nos abrigámos aqui não vamos destruir a casa.

— Ora! A casa está abandonada!

— Mas tem dono.

— Se calhar os donos já morreram e nós arriscamo-nos a morrer também se não acendermos o lume.

— Deixa-te de exageros e anda comigo procurar lenha. Aposto que sobrou alguma ao pé do fogão.

Vasculhar a cozinha teve um efeito desastroso. As panelas, as formas de bolos, os pratos, os copos, sugeriam de forma gritante a palavra *comida*. Que fome!

Em vez de procurarem lenha puseram-se a abrir gavetas na esperança de encontrar nem que fosse uma côdea dura. Mas não havia nada que se trincasse. O Chico até teve ganas de comer um rolo de cordel imaginando que era esparguete.

— Esqueçam o estômago e ajudem-me aqui — chamou o Pedro. — Nesta pequena arrecadação há lenha com fartura e bastante carqueja.

Voltaram à sala carregados de toros e cheios de boas intenções. Iam atear um belo fogo que os ajudasse a passar o tempo.

De súbito, porém, estacaram apavorados. Um gemido profundo ecoou pelas paredes de granito.

— Ouviram? — perguntou o João.

Ao seu lado *Faial* rosnava inquieto. Estaria mais alguém naquela casa?

Olhando em volta, ficaram todos suspensos na figura de Camila. Muito branca e de expressão firme, enchia o espaço com a sua presença. Parecia capaz de sair do quadro a qualquer momento.

— Estou com medo — segredou a Luísa ao ouvido da irmã.

— Também eu.

Chico quis desviar-lhes a atenção para outra coisa. Aproximou-se da lareira, disposto a limpar as cinzas acumuladas no fundo. Assim que chegou perto soltou uma exclamação de espanto.

— O que foi?

— Não sei. Mas esta cinza está quente. Ainda tem brasas por baixo.

# Capítulo 3

# Lobos!

Entreolharam-se num verdadeiro pânico. João passou os dedos pelo cabelo e o susto era tal que ficou com uma madeixa em pé. Ninguém sabia a quem atribuir o lume, e todas as hipóteses lhes pareciam arrepiantes. Tinham-se virado de costas para o retrato, mas assim ainda era pior. Sentiam os olhos de Camila cravados na nuca como se os espiasse.

Desta vez foram as gémeas a quebrar o silêncio. As palavras saíam-lhes em catadupa e reforçavam os argumentos uma da outra mesmo sem terem combinado nada:

— Estamos a ser idiotas!

— Ter medo de um retrato é uma estupidez.

Chegaram-se à moldura, tocaram na madeira, depois na tela, sempre a falar:

— É a Camila!

— Olá, Camila! Podes ter sido muito bonita mas agora és só uma recordação.

— Recordação e pinceladas de tinta! Julgas que tenho medo de ti? Não tenho medo nenhum.

— Até podemos ser amigas. O lugar da melhor amiga por enquanto está vago... Interessa-te?

A teatrada das gémeas funcionou. Os rapazes riram e descontraíram-se.

— Vocês têm razão — disse Pedro. — Estamos a deixar-nos sugestionar pelo aspecto tenebroso da casa. Mesmo que andasse por aqui um fantasma, fantasmas não acendem lareiras.

— Claro! Os gemidos só podem ter sido provocados pelo vento. Há frinchas por toda a parte.

— E quanto às brasas, acho que alguém esteve aqui de passagem como nós. Pura e simplesmente quis aquecer-se. Deixou vestígios que vou aproveitar — disse o Chico, enquanto lançava para a lareira um molho de carqueja e vários toros.

Uma chama linda irrompeu de imediato, fazendo estalejar os galhos mais finos.

Aproximaram-se todos de mãos estendidas. Nada como um bom lume para transmitir conforto.

— Os homens primitivos só se devem ter sentido felizes no planeta Terra quando descobriram o fogo! — disse o João de forma algo inesperada.

Os outros acharam graça e a conversa tomou um rumo banal. Desenrolaram o tapete, trouxeram as almofadas dos sofás para se instalarem o melhor possível, estenderam-se ao comprido meio ensonados. Que seria feito do Sr. Cristóvão, que nunca mais aparecia?

Pouco amigo de estar quieto, sobretudo com o estômago a dar horas, Chico levantou-se e anunciou:

— Estão contentes? Pois então agradeçam-me que vou trabalhar para que a vossa felicidade seja completa.

Encaminhou-se para a porta com ares misteriosos, enfiou o gorro, as luvas, e já ia de saída quando lhe berraram:

— Chico! Onde é que vais?

— Vou ao carro. Lembram-se do que está guardado na parte de trás? Queijo!! Vou buscar queijo para a nossa ceia.

— Sozinho? Nem pensar!

— Espera aí...

Ele fez orelhas moucas e saiu mesmo, batendo com a porta.

Demasiado moles para irem a correr atrás, limitaram-se a observá-lo da janela. A noite estava realmente escura. A única coisa que viam era a luz da lanterna tremeluzindo suspensa no ar.

— É completamente louco — disseram.

Mas na verdade o que sentiam era orgulho por terem um amigo tão corajoso.

Chico calculava que o estivessem a observar. Ainda que não conseguissem vê-lo à distância, imaginavam-no a abrir caminho na neve com a maior energia e sem medo nenhum.

Contente consigo próprio, inspirou fundo, deliciando-se com o ar frio que lhe encheu os pulmões. Nunca confessaria em voz alta que adorava vestir a pele do herói. Quanto muito podia admitir: «Sou um aventureiro!»

Não faltava aventura no percurso. Embora as pegadas que tinham deixado lhe servissem de orientação, estava sozinho no meio do campo, a neve dificultava os movimentos e podiam surgir mil perigos que desconhecia e para os quais não tinha defesa. Paradoxalmente, quanto mais pensava no perigo, mais excitado ficava.

Ao avistar o carro, receou que a caminhada tivesse sido em vão.

«Se as portas estiverem fechadas à chave, nada feito...»

Por sorte, no atabalhoamento da saída, o motorista não se lembrara de trancar a carrinha. Chico pôde portanto revolver a bagagem sem qualquer problema.

E abençoou a hora em que saíra de casa. Tinha ali provisões excelentes. Encheu dois sacos até acima e retomou a marcha a assobiar de contente. Que rica surpresa ia fazer aos companheiros!

Nesse momento um uivo prolongado cortou a noite.

«Aúúúú!»

— Lobos! — murmurou, petrificado de pavor.

— Lobos!

O uivo inconfundível repetia-se:

«Aúúú! Aúúú!»

Estando a meio do caminho, tinha que decidir depressa se ia tentar atingir o carro ou a casa.

Muito quieto, fechou os olhos e apurou o ouvido para perceber de que lado vinha o som. Inútil. Ou havia muitos lobos ou o som fazia eco...

☆

— Estamos rodeados por uma alcateia — disse o Pedro. A voz saiu-lhe tão rouca que nem se reconheceu.

Chico estava sozinho e não tinha com ele nada com que enfrentar os lobos esfomeados que andavam à solta! Se o atacassem, podiam devorá-lo!

*Faial* dava saltos de impaciência e uivava também, mas os uivos eram um bocadinho diferentes. *Caracol* enfiou-se debaixo do sofá a tremer.

Numa fracção de segundo as gémeas recordaram o tempo em que eram pequenas e sonhavam com lobos. Sonhavam acordadas. Umas vezes imaginavam-nos debaixo da cama, outras em cima do armário, outras ainda na frincha escura da porta entreaberta... Claro que um lobo não aparece calmamente num andar da cidade. Mas elas não sentiam o medo como absurdo. Era um medo que vinha de dentro, que as obrigava a tapar a cabeça com o lençol, já que lhes faltava coragem para estender o braço até à mesa-de-cabeceira e acender a luz.

Agora era diferente. Lobos reais e uma ameaça real... Oh! quem lhes dera uma espingarda, munições e pontaria para irem salvar o amigo!

Como não tinham nada disso, agarraram nos ferros da lareira e saíram porta fora aos gritos:

— Chico! Chico! Onde estás?

*Faial* disparou que nem uma seta, pronto para a luta. Atirou-se com tal impulso que derrubou o Chico diante do portão. Ele abraçou-o, rindo

para espalhar o nervoso. Parecia-lhe quase impossível ter chegado ali com vida.

Os amigos aproximaram-se, brandindo ferros no ar à maneira de espadas. Quanto aos lobos, talvez se tivessem ido embora, pois já não se ouviam uivos.

— Não cheguei a ver nenhum. Até tenho pena.

— Conversamos lá dentro — propôs o João.

— Anda, *Faial*.

O cão não lhe obedeceu. Farejava em volta de um emaranhado de silvas.

— Encontraste alguma coisa? — perguntou o dono.

— Arf!

Não se podia dizer que fosse resposta, mas como não arredou pé do silvado quiseram todos espreitar a ver se havia novidade. Deram com um par de olhos faiscando no escuro. Era um bicho e gemia baixinho.

Nunca João resistira a um animal em apuros. Ignorando os picos da planta, enfiou os braços lá dentro. Primeiro sentiu pêlo fofo, depois sentiu dentes. Apanhou uma dentada.

— Ai!!

— Magoaste-te?

— Mordeu-me. Deve ser um cachorro aflito.

— Coitadinho — disseram as gémeas. Temos que o salvar.

— Eu trato disso.

João agachou-se e falou como só ele sabia falar aos animais. Devagar, num tom meigo e firme, escolhendo palavras semelhantes no tamanho e no som. Quando lhe pareceu que era altura, estendeu os braços e pegou-lhe ao colo. A única coisa que viram de imediato é que tinha uma pata em sangue. Pouco depois, já em casa, perceberam que não se tratava de um cão mas sim de um lobo bebé. Rodearam-no na maior confusão de sentimentos. Ainda há instantes desejavam armas para abater quantos lobos lhes aparecessem pela frente. Agora derretiam-se à volta de um pequeno representante da espécie, cujos dentes lembravam a sua condição de fera. Mas como resistir ao corpinho felpudo que tremia nos braços do João? Como resistir ao focinho inteligente, de olhos oblíquos e amarelados? *Faial* rosnava, ciumento. Se o dono queria mimar outro bicho, que pegasse no *Caracol*, seu velho amigo. Agora perder tempo com um filhote de lobo, era de mais.

João percebeu perfeitamente o drama, ajoelhou-se, pôs o bicho ao alcance do *Faial* e ordenou:

— Lambe a ferida, vá! Não sejas ciumento.

*Faial* fingiu-se desentendido. Só depois de o *Caracol* se aproximar para receber o visitante é que aceitou a situação. Continuou, porém, a achar exagero tanto entusiasmo de roda de um estranho.

O entusiasmo não podia ser maior. Como não havia água nas torneiras, derreteram neve numa caçarola e lavaram-lhe a ferida com água morna. Depois as gémeas rasgaram tiras daqueles panos que cobriam os móveis e fizeram uma ligadura muito bem feitinha. O lobo aceitava os serviços com certa altivez, e eles sempre procurando cativá-lo. Até abriram os sacos de mantimentos para servir primeiro Sua Excelência...

Chico trouxera do carro um verdadeiro banquete. Além de queijos, o Sr. Cristóvão transportava leite, mel e pão de quatro cabeças. Sentados no chão, regalaram-se com a ceia improvisada.

O descanso, depois de toda aquela actividade, fê-los sentir em casa. Estendidos entre os almofadões, relaxaram os músculos, abriram a boca em grandes bocejos e adormeceram todos menos o Pedro. Este, com as pálpebras semicerradas, divagava.

A sala adquirira uma atmosfera irreal, com grandes sombras dançando ao ritmo do lume. A presença de Camila, muito loira e elegante dentro da moldura, já não o assustava. Atraía-o. Obrigava-o a olhar para ela de frente. Embora fosse um quadro, tinha a sensação de... de... a namorar à distância.

Quando percebeu o que lhe ia na alma, regozijou-se por não ter testemunhas. Lançou uma mirada ao grupo e sorriu. Ali estavam pessoas, animais domésticos e até uma fera dormindo lado a lado como no paraíso. Que maravilha! Uma grande paz invadiu-lhe o coração.

Estendido sobre o tapete, sentia o corpo flutuando entre o cá e o lá. Já não era capaz de seguir uma linha concreta de pensamento. Ora se fixava num objecto momentaneamente iluminado pelas chamas ora se concentrava no rangido sempre enigmático das madeiras. Volta e meia detinha-se nos olhos azuis da rapariga e sentia ganas de a arrancar da pintura. Mas como? De súbito ocorreu-lhe que nas gavetas dos móveis talvez houvesse cartas, diários, fotografias antigas. Tinha que ir procurar!

Pé ante pé, levantou-se e foi revistar os móveis. Tal como desejava, encontrou dezenas de retratos amarelecidos à mistura com botões, receitas de cozinha, postais, alfinetes, selos, madeixas de cabelo apertadas em fitas de cetim, contas de colar, aros de óculos em tartaruga, frascos de perfume vazios. Os gavetões exalavam um cheiro peculiar que o deixou tonto. Mas não desistiu das buscas. Separou todas as fotografias em que lhe parecia estar Camila e depois mergulhou de cabeça num velho caderno a esboroar--se.

Teve dificuldade em decifrar a letra, pois tinha muitos risquinhos para cima e para baixo e havia imensas palavras onde as consoantes apareciam a dobrar: dois *ff*, dois *ll*, dois *tt*...

O interesse era tanto que nenhum obstáculo seria capaz de o demover. Concentrado na leitura, esqueceu-se do tempo e acompanhou a par e passo uma descrição assombrosa. Segundo o autor daquele texto, a casa era assombrada. De sete em sete anos o fantasma de Camila regressava aos salões para ali dançar...

Pedro tomou nota das datas, fez e refez contas, chegando sempre à mesma conclusão: estava precisamente na altura de uma nova aparição.

Já hesitava entre acordar os amigos ou não quando ouviu passos na entrada. Paralisado de medo, arregalou os olhos na direcção da porta. Viu rodar a maçaneta muito devagarinho, abrir--se uma frincha cada vez maior e... do lado de lá surgir uma farta cabeleira loira.

Da garganta do Pedro saiu um berro desumano.

# Capítulo 4

# Camila

Os amigos acordaram em sobressalto, *Faial* pôs-se a rosnar, *Caracol* a ganir, e o lobinho foi--se esconder atrás do piano.

Amanhecera. Raios de sol pálido faziam oscilar tiras de poeira entre a janela e a parede. Espe-cada diante deles, uma rapariga loira de olhos azuis.

— O que é que vocês estão a fazer na minha casa? — perguntou.

A voz era bonita mas o tom bastante ríspido.

Ainda atarantados, gaguejaram explicações:

— A... ficámos na estrada por causa do nevão... Faltou gasolina...

— O senhor que nos trazia foi buscar ajuda.

— Entrámos por uma janela...

— Pensámos que a casa estivesse abandonada.

— Mas não está — disse ela, já mais branda. — Os meus pais compraram a propriedade e vamos fazer obras...

— Ah!

Pedro ainda não se refizera do susto. Fitava alternadamente a recém-chegada e o quadro, em busca de parecenças. Exceptuando a cabeleira e a cor dos olhos, não encontrou motivos para pensar que se tratava da mesma pessoa e teve pena. Já agora, não desgostaria de se aproximar de uma Camila em carne e osso.

— Eu sou a Camila Ferraz — disse ela, estendendo a mão para os cumprimentar. — E vocês?

Apresentaram-se. Pedro reteve a mão alguns segundos mais do que seria necessário e ela riu-se. Percebera perfeitamente os olhares cruzados.

— Vejo que a minha antepassada te perturbou...

O pobre rapaz ficou vermelho como um pimentão.

— Não tenhas vergonha. As Camilas são todas irresistíveis. Ah! Ah! Ah!

Muito à vontade, sentou-se num sofá, cruzou as pernas e explicou:

— Esta quinta pertenceu a uns parentes da minha mãe. Os últimos herdeiros nunca ligaram nenhuma à casa e deixaram tudo ao abandono. Os meus pais compraram-na há pouco tempo. É deliciosa, não acham?

— É sim — disse o Pedro. — Descobri verdadeiros tesouros dentro das gavetas.

— Tesouros? Não te gabo o gosto. Papelada malcheirosa e fotografias velhas só servem para atiçar o lume. Vamos fazer limpeza geral porque só gostamos de coisas modernas.

A informação dada permitiu que o Pedro guardasse disfarçadamente o caderninho e as fotografias sem remorsos. Se era para o lixo...

Entretanto as gémeas afadigavam-se a tentar

retirar o lobinho de trás do piano. Chico foi ajudar, Camila também. Empurra daqui, empurra dacolá, ouviram-se notas de música soltas: «pling, bong».

Os pais de Camila vieram encontrá-los arrastando mobília e ficaram possessos.

— Que é isto, Camila? Resolveste começar a mudança antes de tempo?

— E quem são estes miúdos, hã?

O casal era extremamente antipático e tinha uma particularidade curiosa: não ligavam entre si. Ele muito alto, forte, de bochechas encarnadas, com farto bigode e voz de trovão. Ela minúscula, esquelética, quase transparente. O cabelo ralo, a voz esganiçada e a ausência de pestanas compunham uma figura que podia considerar-se o oposto do marido.

Pedro interrogava-se como teria sido possível àquele casal dar origem a uma filha tão bonita.

Camila explicou o que se tinha passado com imensos detalhes. Quanto mais falava, mais o pai se enfurecia:

— Não acredito! Estes miúdos têm má pinta. Com certeza vieram aqui para roubar.

— Roubar o quê? — perguntou o Chico com insolência. — Alguma teia de aranha?

O homem avançou para ele de punho erguido e só não houve briga porque a filha se interpôs:

— Calma. Só estão aqui porque ficaram bloqueados na neve.

— Qual bloqueados, qual carapuça!

— Ó pai, acalme-se. Daqui a pouco vão-se embora e não voltam cá...

— Tens a certeza? — perguntou, com tanta ansiedade que eles estranharam.

— Fique descansado! A gente não torna a pôr os pés neste ninho de ratos.

Pedro fez sinal ao Chico para que se calasse. Não valia a pena entrarem em conflito. Quanto às gémeas, assistiam à cena tentando formar um juízo a respeito da família. Concluíram que a filha era simpática, o pai um estafermo e a mãe uma idiota. Isto porque a senhora, embora não participasse na discussão, fazia trejeitos de boca e olhava Camila com ar reprovador. Defendia pois a atitude do marido.

Como de costume, Teresa e Luísa arrumaram o assunto na cabeça, certas de que a intuição feminina não lhes permitia enganarem-se.

Buzinadelas no exterior chamaram toda a gente ao jardim. Vinha lá o Sr. Cristóvão mais o tio do Pedro, ambos aflitíssimos.

— Oh! Que noite horrível! Que grande susto! Estão todos bem?

A atitude do dono da casa surpreendeu-os. Assim que viu o tio do Pedro desfez-se em amabilidades:

— Estes miúdos pertencem-lhe? Oh! Se eu soubesse que eram parentes do dono da Quinta de S. Francisco ainda os tinha tratado melhor do que tratei.

«Que lata!», pensaram as gémeas. «Além de tudo, é mentiroso.»

O Sr. Cristóvão já devia ter contado mil vezes

a mesma história e repetiu-a ali. Depois de um relato breve sobre o nevão e a falta de gasolina, disse-lhes que encontrara um rapaz que se metera pela serra de moto e andava perdido.

— Indiquei-lhe o caminho e ele levou-me à Quinta de S. Francisco. Quisemos logo vir buscá-los mas não era possível antes de os limpa-neves desobstruírem a passagem. Demorou porque eles andavam noutra zona.

— Enfim, está tudo bem quando acaba bem!

O tio do Pedro, que também usava óculos e se chamava Manuel, parecia ansioso por se ir embora. Despediu-se da família Ferraz, agradeceu a hospitalidade e levou-os mesmo antes de ficar a conhecê-los pelo nome. Nem fez reparo ao facto de terem com eles um lobinho.

Cá fora a montanha oferecia-lhes um panorama de tal forma deslumbrante que quase esqueceram as peripécias vividas no velho casarão. Estava um dia de sonho. Céu azul, sol radioso e a neve, oh! a neve! Tão branca, tão pura, acabadinha de chegar, envolvia as encostas num manto ondulado e fofo. Apetecia escorregar à superfície sem deixar mácula. As árvores, brancas por cima e verdes por baixo, pareciam arranjadas para uma festa. Ninguém falou para não perturbar o silêncio. A montanha impunha-se, exigia respeito.

☆

Na Quinta de S. Francisco foram acolhidos com muito carinho pela mulher do tio Manel e pela empregada, que ali vivia há anos e era como se fosse da família. Tinham a mesa posta com um pequeno-almoço abundante e variado, falavam pelos cotovelos e quiseram saber todos os pormenores da aventura nocturna.

— Nem posso pensar que saíste de casa sozinho a meio da noite e andaste a passear no meio dos lobos — repetiu a tia Madalena várias vezes.

— Ai, esta gente nova...

— Quando eu era pequena havia muitos lobos na serra — disse a empregada. — Nas noites de Inverno, se ouvíamos uivar, que frio pela espinha acima... Ninguém se atrevia a pôr o nariz fora da porta. De manhã íamos à capoeira e era certo e sabido que faltavam galinhas.

— Não podiam dar uns tiros para os afugentar?

— Nesse tempo pouca gente tinha espingardas em casa. Preferíamos esperar que se fossem embora porque não sabíamos quantos andavam por ali. Mas geralmente vinham a dois e dois.

— Como é que chegavam a essa conclusão?

— Pelas pegadas. A primeira coisa que fazíamos mal o Sol raiava era procurar as pegadas para ter uma ideia de quantos lobos nos rondaram a casa. Houve um ano que foi terrível. Morreu um pastor, desapareceu gado e teve que se organizar uma batida para dar cabo deles.

Ao evocar aquelas recordações não pôde impedir-se de deitar uma olhadela de soslaio ao lobinho.

— Vocês agora acham-lhe muita graça. Mas

ele vai crescer, torna-se feroz como é da sua natureza e um dia talvez coma alguém que ande perdido na serra.

— Deixa-te disso, Celeste! Não desanimes os rapazes.

Conversavam de roda da mesa numa sala agradável e bem diferente daquela onde tinham passado a noite. Ali era tudo alegre, arejado, vivido. Também havia lareira, soalho de tábuas largas, cortinas nas janelas. Mas que diferença! Os vidros rebrilhavam de tão limpos, no sofá encarnado havia mantas de lã áspera acabadas de dobrar, e onde quer que pousassem os olhos topavam com um objecto em que alguém mexera recentemente. Estava-se bem.

Pedro inspirou para tentar classificar o cheiro característico da casa. Cheiro bom mas sem nome que ele conhecesse. Fumo entranhado nas madeiras e nos tecidos, maçãs perfumadas, compota, geleia e marmelada ainda quente. Uma delícia. Apesar do conforto, sentia uma espécie de vazio interior que, esse sim, tinha um nome: Camila. Não a tornaria a ver nunca mais? Nem precisava de fechar os olhos para tornar presente a imagem da rapariga.

«Não há dúvida, os cabelos loiros deram-me volta ao miolo», pensou enquanto trincava melancolicamente uma fatia de pão com doce.

Não era o único apaixonado do grupo. *Faial* conhecera na quinta uma cadela de raça serra-da--estrela e seguia-a por toda a parte, esquecido de que o dono tinha outro bicho com que se entreter. João ficou assim mais à vontade para tratar do lobinho. Descobrira-lhe uma mancha branca na pata direita e interrogava-se:

«Se eu voltasse a encontrá-lo na serra daqui a muito tempo, reconhecia-o pela mancha. Será que ele também me reconhecia a mim?»

Mesmo sem querer, imaginou-se já homem e a ser atacado por lobos esfaimados no alto da serra. No último momento, o chefe da alcateia interpunha-se e lambia-lhe a face. Reconhecera o cheiro de um velho amigo que o arrancara de uma moita espinhosa muitos anos atrás e agora pagava-lhe o favor salvando-lhe a vida.

«Que rica história para um desenho animado», pensou.

Despertou dos seus devaneios ao ouvir o tio Manel falar sobre a família Ferraz. Pelos vistos, não gostava nada deles:

— Pessoas esquisitíssimas. Dizem que são parentes de gente da terra, mas a verdade é que nunca ouvimos falar deles. Também dizem que viveram muitos anos na Argentina mas se lhes perguntamos alguma coisa a respeito do país, mudam de assunto. E ainda há outro pormenor intrigante: querem todo o queijo da serra que eu produzo. Como recusei porque tinha de guardar alguns para antigos clientes, insistiram e dispuseram-se a pagar o dobro do preço.

— Não me parece muito intrigante. Se calhar o homem tem algum restaurante de luxo e quer servir queijo de boa qualidade.

— Isso também eu pensei. Um restaurante, uma loja, um supermercado de categoria. Mas nunca consegui que o tipo me explicasse para que raio quer tanto queijo. Se puxo o assunto, ele disfarça. Aliás, é de pouca conversa. Até estranhei que vos tivesse tratado tão bem.

— Bem? Ele é um aldrabão. Tratou-nos muito mal. Só mudou de atitude quando viu o tio.

Pedro levantou-se e foi remexer na lareira. Tomava balanço para o que ia dizer a seguir:

— Se o tio quiser, arranjamos um pretexto para voltar àquela casa e descobrimos o mistério dos queijos da serra...

Os outros riram-se.

— Deve ser um mistério bem fácil de desvendar. O homem é enorme porque come um queijo a cada refeição. Qualquer dia rebenta e plof! — a filha fica livre do pai horrendo.

Nenhum dos amigos viu que as bochechas de Pedro se tinham tingido de encarnado porque ele mantinha a cabeça quase dentro da lareira. Fazia saltar faíscas escarafunchando as achas com um espeto e repetia de si para consigo:

«Se não for por causa do queijo, há-de ser por outro motivo qualquer, mas tenho que tornar a ver a Camila!»

# Capítulo 5

# Nos Piornos

Os desejos de Pedro tornaram-se realidade no dia seguinte de manhã, quando o tio os levou a um hotel giríssimo onde alugavam *skis* a turistas. Reinava grande animação. Pessoas de todas as idades experimentavam botas, escolhiam *skis* ou então, receando não se equilibrarem, preferiam alugar uma espécie de cadeirinhas plásticas para poderem deslizar sentadas.

Entre os hóspedes do hotel encontraram Camila. Pedro achou-a mais bonita e mais loira do que nunca. Ela não precisava de alugar coisa alguma. Saiu do terraço equipada a rigor: um fato amarelo todo acolchoado por dentro, óculos escuros, luvas de cabedal debruadas a pele de coelho, *skis* e bastões suspensos no ombro. As botifarras duras obrigavam-na a andar como se fosse um pato. Via-se que não era a primeira vez a usar aquela indumentária. Falou-lhes cordialmente e explicou:

— Como a nossa casa não está em condições preferimos dormir aqui. Vamos lá de vez em quando mas só podemos mudar-nos depois das obras. Os operários chegam para a semana.

56

Depois fez-lhes um aceno e juntou-se a um grupo de amigos.

Pedro espiava-a de longe com o coração num alvoroço. Ainda não tinha enfiado o gorro e ele esperava que não o fizesse tão depressa, para poder deliciar-se com os reflexos que o sol punha na magnífica cabeleira.

«Estou caidinho...»

Pelas conversas cruzadas perceberam que nem toda a gente tencionava ir para as pistas de *ski*. Um casal de meia-idade queria instalar--se a ler e a apanhar sol no terraço, uma rapariga nova hesitava entre deixar ir o marido com os filhos mais velhos e ficar ela com o bebé ou irem todos.

Embora as pessoas não se conhecessem, gerara-se um ambiente amistoso de grande descontracção pelo facto de estarem no mesmo hotel e pelo mesmo motivo: gozar a neve. Ninguém estranhou portanto quando um rapaz novo começou a girar de grupo em grupo entusiasmando os mais renitentes a subirem às pistas.

— Então vieram de tão longe e agora querem ficar no hotel? Parece impossível!

Era tão expressivo e tão simpático que lhe prestaram atenção.

— Aos principiantes aconselho a zona de Piornos. Há lá uma pista bastante suave onde qualquer pessoa se diverte sem perigo nenhum. Mas para quem já sabe, então a Torre, que é o ponto mais alto da serra da Estrela. Na Torre há pistas a sério, muito inclinadas e próprias para atingir grandes velocidades. Confiem em mim porque sei o que lhes estou a dizer. Vivo na Suíça e sou instrutor de *ski*. Se alguém tiver problemas eu estou lá para ajudar. Mas não se privem do prazer único que é deslizar na neve!...

Este discurso arrastou os indecisos, que acabaram por partir também.

O tio Manel conduziu-os à pista dos Piornos, onde já andava imensa gente. A neve tinha o curioso efeito de inverter os papéis entre adultos e crianças. Enquanto os mais pequenos à segunda ou terceira tentativa se equilibravam, deslizando sem grande dificuldade, os mais velhos davam tombos atrás de tombos e pareciam divertidíssimos com a sua própria azelhice!

Sendo bom desportista, Chico depressa adaptou o corpo ao novo desafio. Até já dava curvas e travava fazendo saltar uma franja de neve. As gémeas e o João também conseguiam boas escorregadelas. Agora o Pedro parecia uma alma penada. Não via Camila em parte nenhuma.

«Se calhar foi para a Torre», pensava. «Como já tem experiência preferiu a pista mais difícil.»

Sem concentração não há equilíbrio. Ao terceiro tombo, desistiu.

«Vou-me embora senão ainda parto os óculos e estrago o resto das férias.»

Muito irritado, descalçou os *skis* e dirigiu-se ao parque de estacionamento. Para seu grande espanto viu o rapaz que arrastara toda a gente para as delícias da neve metido num carro a falar ao telefone.

«Ora, ora! Afinal as delícias da neve são para os outros, não são para ele», pensou.

Sem querer captou a parte final de uma frase:

— ... tudo sob controlo. Podes actuar.

Uma restolhada desviou-lhe a atenção para um parzinho semiescondido entre dois automóveis. Como lhe pareceram um pouco embaraçados, disse uma piada:

— É melhor ficarem aí à escuta porque o instrutor de *ski* está a dar ordens muito suspeitas...

Eles riram, Pedro também.

E nunca mais se lembraria do assunto se não tivesse havido um roubo de jóias no hotel. A bronca estalou ao fim da tarde, e que confusão!

Quem mais gritava era Camila:

— Exijo que chamem a polícia! Eu tinha o quarto fechado à chave e não há vestígios de arrombamento. Quem é que tem outra chave? Os empregados! Revistem-nos! Prendam-nos! Eles que não julguem que fico sem as minhas jóias.

Outras senhoras queixavam-se do mesmo:

— Deixei um anel em cima da mesa-de--cabeceira porque pensei que fosse um hotel de confiança. Nunca mais na minha vida ponho aqui os pés!

— À minha mulher roubaram o colar de pérolas que lhe ofereci no Natal. Eu bem lhe disse que não trouxesse jóias, mas ela é teimosa...

O pobre do gerente não tinha mãos a medir. Tentava acalmar as pessoas, garantia que já alertara as autoridades, que o assunto ia resolver-se da melhor maneira. Não perdeu a compostura.

Serenou os clientes e com um sorrisinho amável deteve todos os que queriam sair:

— Vão desculpar-me, mas não sai daqui ninguém enquanto não chegar a polícia.

Foi assim que se viram retidos na sala do hotel, agora cheia de turistas em fúria. O instrutor de *ski* também não escapou. Pedro apercebeu-se de que ele tentava convencer um empregado a deixá-lo ir ao carro, mas o empregado manteve-se firme:

— Desculpe. Tem que aguardar.

Visivelmente nervoso, o instrutor encaminhou-se então para uma janela. Iria fugir? E porquê? Só foge quem tem alguma coisa a esconder. A frase ouvida no parque de estacionamento voltou à cabeça de Pedro: «... tudo sob controlo. Podes actuar».

«Se calhar acertei quando disse que eram ordens suspeitas!...»

Na dúvida, procurou entre a assistência o parzinho de namorados. Talvez tivessem ouvido mais qualquer coisa.

Como não os viu em parte nenhuma, decidiu contar o caso aos amigos. Não pôde fazê-lo porque alguém disparou um tiro.

Pei!

Seguiu-se uma balbúrdia indescritível. Gritos, berros, pessoas a tentar sair, outras a esconderem-se debaixo dos móveis.

Pedro pôs-se de gatas e puxou as gémeas para o chão.

— Abriguem-se. O tipo é louco!

O tipo era o instrutor de *ski*. Deu mais dois

tiros para o tecto, abriu a janela e escapuliu-se. Ainda ouviram outro tiro lá fora e depois o motor do carro a afastar-se.

— Agarrem que é ladrão! — gritou uma voz esganiçada.

A fuga marcara-o. Só podia ser ele o responsável pelo desaparecimento das jóias.

Ansioso por se ver livre da multidão desnorteada, o gerente mandou abrir as portas.

— Se o ladrão fugiu não vale a pena reter ninguém. Quem quiser pode sair.

Pedro acotovelou à direita e à esquerda, abriu caminho e aproximou-se.

— Não faça isso! Ele não roubou nada porque estava nos Piornos. Eu vi. Quando muito deu ordem aos cúmplices e os cúmplices ainda devem estar no hotel...

A barulheira era tanta que o homem não conseguia ouvi-lo.

— Hã?

Preparava-se para repetir tudo desde o princípio quando Camila se agarrou a ele muito pálida.

— Ajude-me! Ajude-me que me estou a sentir mal.

Pedro não se fez rogado. E até esqueceu o ladrão quando ela lhe desmaiou nos braços. Os cabelos loiros pareciam-lhe bem mais valiosos do que qualquer jóia.

# Capítulo 6

# Na Covilhã

O tio Manel não se comoveu com os desmaios. Já que o deixavam ir-se embora, queria sair dali o mais depressa possível. Afligira-se duplamente com o tiroteio porque se sentia responsável pelo grupo de jovens que tinha em casa. Ansiava afastar-se do hotel. Se fosse preciso prestar declarações, sabiam onde ele estava e iam chamá-lo.

Pedro teve pois que entregar Camila aos pais ainda meio abananada, e ficou indignadíssimo ao verificar a indiferença com que a recebiam. O pai deu-lhe umas pancadinhas distraídas na cara e a mãe limitou-se a olhá-la com enfado reprovador.

As gémeas também repararam e fizeram os seus comentários.

— Esta mulher nasceu enjoada.

— Tem sempre a mesma expressão. É como as caraças de Carnaval.

Conversavam no carro à espera do João, que se esquecera de entregar as botas de *ski* e tinha ido a correr devolvê-las.

— Olha, lá vem ele!

Descendo a ladeira a grande velocidade, não reparou que as luvas lhe caíram do bolso.

— João! — gritou o Chico pela janela. — Perdeste as luvas!

Viram-no inverter a marcha, inclinar-se para o chão e apanhar as luvas juntamente com um punhado de neve.

Durante a viagem até à Quinta de S. Francisco não se falou noutra coisa senão no roubo e nos tiros. Pedro contou e recontou a cena a que assistira nos Piornos, e o tio decidiu logo que no dia seguinte iriam à Covilhã para ele informar a polícia.

— Não deve adiantar muito, mas cumprimos a nossa obrigação.

A tia Madalena e a velha Celeste esperavam-nos à janela em verdadeiro pânico, porque já tinham ouvido a notícia na rádio. O locutor garantia que não havia feridos, mas antes de os verem sãos e salvos nenhuma delas serenava. A conversa continuou portanto à roda do mesmo assunto. O interesse redobrou porque em todos os telejornais da noite houve notícias e reportagens que acrescentaram novos elementos ao caso.

«A polícia julga tratar-se de uma quadrilha internacional, responsável por inúmeros assaltos a residências no centro e no Norte do país, bem como em várias regiões de Espanha, onde são conhecidos pelos Mil Caras. Tanto quanto se sabe, é a primeira vez que estendem as suas actividades a um hotel. Até ao momento não foi possível descobrir o paradeiro do fugitivo.»

A locutora fez um trejeito risonho e terminou a notícia com um pequeno remate brincalhão:

«Esperemos que este elemento dos Mil Caras seja apanhado em breve e fique com cara de pau...»

Antes de se irem deitar teceram comentários de toda a espécie à insegurança em que se vive e cada um deles tinha uma história para contar sobre assaltos na rua, no prédio vizinho, à noite ou em pleno dia.

Não foi fácil adormecerem e também lhes custou a acordar na manhã seguinte. Doía-lhes o corpo por causa das habilidades na neve e sentiam o espírito enferrujadíssimo devido às poucas horas de sono.

Embalados pelos solavancos do carro, dormitaram até à Covilhã. Na esquadra Pedro prestou as suas declarações a um guarda que escreveu tudo tintim por tintim, directamente à máquina. Depois teve que conferir e assinar. Ao fazê-lo, sentiu-se mais velho e desejou que houvesse julgamento e o chamassem a depor. Adoraria levantar-se no meio de imensa gente e falar claro, sem hesitações, depois de ter jurado dizer a verdade, só a verdade e nada mais que a verdade.

Recordando filmes passados em tribunais que vira na televisão, já se imaginava também como advogado a fazer interrogatórios ou como juiz sentado lá em cima, muito sério, a ouvir a defesa e a acusação para, no fim, dar uma sentença justa.

— Pedro! O que é que tens? — perguntou-lhe a Luísa.

— Eu? Nada!

— Estavas a olhar para ontem...

O tio Manel mandara-os dar uma volta enquanto ele ia falar a um cliente.

Vaguearam pelas ruas com a agradável sensação de nunca perderem a serra. A cidade tinha tudo o que as cidades costumam ter mas o ambiente urbano não apagava a presença mais forte da serra da Estrela. Subindo e descendo as ruas íngremes sentiam que pisavam a montanha. E a cada passo descobriam uma vista deslumbrante.

— Esqueci-me das luvas e agora tenho os dedos gelados — queixou-se a Teresa.

— Eu empresto-te as minhas, que não preciso.

Quando meteu a mão ao bolso, João sentiu uma coisinha dura no fundo. Retirou-a e constatou tratar-se de uma pedra vermelha, muito brilhante.

— O que é isso?

— Não sei.

— Parece uma pedra preciosa. Um rubi.

A excitação foi mais que muita. Todos se lembravam que na véspera João deixara cair as luvas no parque do hotel. Precisamente no caminho de acesso aos carros, por onde o ladrão fugira...

— Se calhar o tipo perdeu uma jóia e tu apanhaste-a sem querer...

— Bom, isto não é uma jóia. É uma pedra.

— Mas pode ter caído de um anel. Vamos já à polícia — sugeriu o Pedro todo contente.

— Espera. Acho melhor pensarmos bem primeiro.

— Porquê?

— Porque pode ser uma pedra falsa e nesse caso, além de fazermos figura de parvos, deixam de acreditar no que lhes disseste. Vão julgar que somos um grupo de miúdos a inventar aldrabices para nos darem atenção.

— Está bem. Mas se a pedra é verdadeira não podemos ficar com ela.

— Procuramos o tio Manel e ele que resolva.

Por puro acaso, na rua onde se encontravam havia uma ourivesaria. Foram as gémeas quem reparou.

— Olhem lá, podíamos entrar nesta loja e perguntar ao joalheiro se a pedra é verdadeira ou falsa — propuseram.

— Boa ideia.

Entraram mas tiveram que esperar, pois havia apenas um homem atrás do balcão e atendia um casal. Mostrava-lhes pequenos tabuleiros de veludo com jóias. A mulher punha e tirava brincos, via-se ao espelho, pedia a opinião do marido e, quando se pensava que já decidira, repunha tudo no seu lugar e experimentava outro tipo de jóia.

— Os anéis são bonitos. São realmente muito bonitos. Mas não sei... Gostava de uma coisa diferente.

— Diferente? Não sei como — disse o marido na brincadeira.

Piscou um olho ao dono da loja e acrescentou:

— Eu acho que a minha mulher já comprou

jóias de todos os feitios possíveis e imagináveis. Já mandou até fazer algumas segundo desenhos inventados por ela, assim está-se a tornar difícil arranjar modelos novos...

Começavam a ficar impacientes. Que casal tão irritante! Exibicionistas, vaidosos. Ela pavoneava-se dentro de um casaco de pele de leopardo, mal se equilibrava nas botas de salto altíssimo e devia ter em cima tantas jóias como a montra da loja. No braço direito pulseiras cheias de berloques faziam a vez de guizos, e só o dedo polegar se mantinha livre de anéis. Ele queria armar-se em engraçadinho... mas não tinha graça nenhuma.

O dono da loja, coitado, embora farto de tanta parvoíce, continuava a atendê-los delicadamente. Devia ter esperança de lhes vender alguma coisa cara.

— Ó Antunes, já viste que horas são? — perguntou a mulher num tom aflautado. — É tardíssimo!

Antunes puxou a manga para consultar o relógio de pulso e soltou uma exclamação:

— O meu relógio! Onde é que terei deixado o meu relógio?

Durante alguns instantes remexeu-se de uma forma tão cómica que eles tiveram que fazer um esforço para não desatar a rir. Parecia atacado por um bando de pulgas. Apalpava os bolsos das calças, do casaco, do sobretudo, sempre a dizer o mesmo:

— O relógio! O meu relógio de ouro!

A mulher amuou:

— Pronto! Eu sabia. Não vale a pena oferecer-te nada porque tu perdes tudo. É sempre assim!

Saiu de rompante com trejeitos de má-criação e ele foi atrás tentando acalmá-la. Entraram num carro estacionado mesmo em frente e partiram conduzidos por um motorista imperturbável.

Na loja fez-se silêncio. O dono abanava a cabeça como quem diz: «Tenho que aturar cada uma...»

Endereçou-lhes um sorriso cansado e pediu:

— Esperem um instantinho. Deixem-me só arrumar a vitrina que já os atendo.

Quando olhou para os tabuleiros deu um berro:

— Fui roubado! Fui roubado!

Hesitou apenas um instante antes de correr para a porta, mas dos malandros nem sinais.

# Capítulo 7

# Enganar é fácil

Quando perceberam que tinham sido enganados iam morrendo de vergonha. O casal devia ir
no carro à gargalhada. Que limpeza! Bastara ao
homem executar a «dança das pulgas» para ficarem todos embasbacados a olhar para ele, deixando campo livre à mastrônça. Decerto tinha muita prática, pois arrebanhara uma série de jóias na
frente de seis pessoas sem ninguém dar por isso.
Que raiva!

O joalheiro, então, estava de cabeça perdida.

— Sou um idiota! Sou o maior idiota que
Deus ao mundo deitou!

Os polícias, que entretanto chegaram, faziam
tudo para o acalmar:

— Não se enerve, que não vale a pena. São
coisas que acontecem.

— Isto é obra da mesma quadrilha. Também
fomos enganados porque nunca nos passou pela
cabeça que continuassem aqui. Ontem limparam
o hotel e hoje desceram à cidade para assaltar
uma joalharia. É de mais!

Pedro tossicou para chamar a atenção. Os
amigos julgaram que quisesse falar na história do
rubi mas afinal o assunto era outro:

— Só depois de saírem é que eu tive a certeza que já tinha visto este par.

Viraram-se todos para ele à espera que continuasse.

— Quando entrei, pareceram-me vagamente familiares, mas como estavam muito bem disfarçados não os reconheci. Era o mesmo par que rondava os automóveis no parque de estacionamento dos Piornos. Na altura julguei que andassem por ali a namorar. Agora penso que pertencem à quadrilha e estavam de guarda ao falso instrutor de *ski* enquanto ele dava ordens pelo telefone do carro.

— É muito natural — concordou o polícia.

— São peritos em disfarces. Por isso mesmo em Espanha lhes chamam Mil Caras.

— Ontem faziam-se passar por miúdos apaixonados. Andavam com calças de ganga, anoraques, gorros de lã. Hoje mascararam-se de ricaços insolentes. Com as peles, as pinturas, as jóias e as parvoeiras, tornava-se impossível reconhecê-los — disse Pedro à maneira de desculpa.

— Não te envergonhes. Eles têm enganado muito boa gente.

O outro polícia interrompeu:

— O senhor esqueça o prejuízo e lembre-se de que poderia ter levado um tiro. Os Mil Caras preferem roubar iludindo, mas se for preciso sacam da pistola. Já houve casos.

Amigos, conhecidos e curiosos enchiam a loja e o passeio em frente. Entre eles o tio Manel, um pouco descoroçoado, queixava-se:

— Eu convidei-os a passarem uns dias calmos

na serra da Estrela e afinal acontecem coisas de hora a hora. E que coisas! Tiros, roubos, valha--me Deus!

Ao tomar conhecimento de que ainda havia a história do rubi, deitou as mãos à cabeça.

— Safa! Vocês atraem complicações.

O rubi era verdadeiro e a polícia guardou-o para ver se algum hóspede roubado o identificava como seu. Pedro não teve coragem de pedir, mas apetecia-lhe tanto ser ele a contactar os hóspedes...

«Camila, Camila!», suspirou.

Quando saíram da joalharia, sentiram-se vedetas. As pessoas abriram alas para os deixar passar. Miravam-nos de alto a baixo com uma pontinha de inveja.

— Estes miúdos presenciaram o crime — murmurou alguém.

Não fosse a presença da polícia, caía-lhes tudo em cima a fazer perguntas.

— As meninas são gémeas. Iguaizinhas como duas gotas de água.

Teresa e Luísa compuseram um sorriso para não parecerem antipáticas. Já que estavam a ser admiradas, valia a pena o esforço. Distribuíram então cumprimentos à direita e à esquerda, feitas princesas no meio do seu povo. E de repente perceberam que bastava assumir uma atitude diferente para os gestos e as expressões se transformarem e serem diferentes também. Aquele sorriso afivelado, a maneira de mexerem a cabeça, a postura dos braços e das mãos, não tinham nada a ver com elas, pertenciam às personagens altivas que acabavam de encarnar.

A experiência fê-las compreender melhor a maneira de agir dos Mil Caras. Afinal era facílimo parecer outra pessoa. Bastava escolher uma figura e comportar-se de acordo com ela.

Divertidas com a descoberta, puseram-se a observar a multidão. «Não há dúvida, cada indivíduo traz consigo marcas que o distinguem dos outros», pensaram.

Lá estava o carteiro, por exemplo. Não o conheciam de parte nenhuma, mas atribuíam-lhe a profissão por causa da saca com cartas e postais. Quem quisesse passar por carteiro, arranjava um saco do género e pronto! Também era fácil fazer de estudante. Cabelos ao vento, livros e *dossiers* debaixo do braço, chegavam para convencer qualquer um. O mesmo se podia dizer das cabeleireiras. Entre a multidão havia duas raparigas de bata cor-de-rosa com os cabelos muito bem penteados para mostrarem aquilo de que eram capazes... Só podiam ser cabeleireiras!

— Andamos sempre mascarados — disse a Teresa.

— Mascarados daquilo que somos — respondeu a Luísa.

Não tinham comunicado uma à outra as suas reflexões mas não era preciso. Entendiam-se mesmo sem falar.

— Acho que a partir de hoje vou desconfiar de toda a gente por causa dos Mil Caras. Quando vir um mecânico com o fato-macaco cheio de manchas de óleo e de alicate na mão, hei-de pensar: «Será mecânico ou anda a fazer de conta?»

À noite divertiram-se imenso a imaginar disfarces. Chico e João participaram na brincadeira mas o Pedro pretextou dores de cabeça e foi-se enfiar no quarto mal acabou de jantar.

Tinha saudades de Camila. Gostaria tanto de voltar a afagar os cabelos loiros! À falta de melhor, pôs-se a remexer nas fotografias e no velho caderno que trouxera de casa dela. Inconscientemente procurava um motivo para ter de lá voltar.

Leu e releu as folhas amarelecidas, misturando na sua cabeça a Camila do retrato com a Camila verdadeira. Havia páginas quase ilegíveis, outras mais nítidas. A certa altura deparou com uma passagem empolgante:

O sótão era o lugar predilecto de Camilla. Ali passava horas sem fim com os seus poemas românticos. E ali deixou para sempre esse thezouro poético bem escondido. Era para o encontrar o que precul ash es nunca ninguém o encontrou.

O rapaz até ficou sem respiração! Segundo o autor do texto, a Camila do retrato fazia poemas e escondia-os no sótão. Se a Camila verdadeira fosse o género de pessoa que gosta de antiguidades, seria um pretexto estupendo para a procurar e fazerem juntos uma incursão ao forro do telhado. Mas como não era, ele, Pedro, ia resolver o assunto de forma muito engenhosa. A página do caderno tinha palavras esborratadas, não tinha? Bastava esborratar mais seis para conseguir uma frase capaz de desvairar a família Ferraz em peso. Até a mãe, tão inexpressiva, havia de dar saltos de contente!

Excitadíssimo com a ideia, apressou-se a ir buscar um copo de água. Depois molhou o dedo com muito jeitinho e deixou cair pingos minúsculos nas palavras que queria eliminar.

O texto ficou supersugestivo:

O sótão era o lugar predileto de Camilla. Ali passava horas sem fim ⟨⟨⟨ ⟩⟩⟩ ⟨⟨⟨ E ali deixou para sempre esse thezouro ⟨⟨⟨ ⟩⟩⟩ bem escondido. ⟨⟨⟨ ⟩⟩⟩ o que perdil ⟨⟨⟩⟩ nunca ninguém o encontrou.

«Assim julgam que há um tesouro no sótão. Eh! Eh! Sou muito inteligente!»

Enquanto esperava que a página secasse, deliciou-se a idealizar o encontro. Já se via alvo de olhares admirativos. E não só. Como ela ia de certeza querer ler o texto, tinha de chegar bem perto, e inclinar-se-iam sobre a página falsificada com as cabeças muitos juntas.

«Hummm... aqueles cabelos loiros!!»

De tal forma se embrenhou no sonho que não sentiu os amigos entrarem no quarto. Eles ficaram admirados de o verem em êxtase, mas ao lerem o que tinha na frente exultaram:

— Há um tesouro no sótão do casarão? Eh! Pá! Temos que lá voltar!

— És o maior.

— A mania de enfiares o nariz em tudo quanto é livro às vezes dá resultados espectaculares.

Pedro não teve coragem para confessar a verdade. Para disfarçar a atrapalhação, pegou no copo e engoliu de um trago a água restante. Soube-lhe mal.

# Capítulo 8

# Como chegar ao sótão?

No dia seguinte de manhã bem cedo anunciaram à tia Madalena que iam dar um passeio a pé. Ela arranjou-lhes farnel e fez mil recomendações:

— Vocês não estão habituados à serra, portanto não se afastem muito da estrada. Levem casacos, que está frio e pode nevar outra vez. Não se metam em encrencas, hã?

Disseram a tudo que sim para irem mais depressa. A ânsia era tal que nem se deram ao trabalho de forçar os cães a acompanhá-los. *Caracol* tornara-se íntimo do lobinho e passavam a vida a correr e a rebolar no jardim. Quanto ao *Faial*, não largava a linda cadela de pêlo amarelo.

João ficou um pouco contristado, porque gostaria de levar o seu cão.

— Deixa-o. Para vasculhar um sótão não nos faz falta.

— Mas ele nunca me virou costas!

— São coisas que acontecem — disse o Pedro, cujo olhar vagueava ausente —, às vezes uma paixoneta provoca desentendimentos com os velhos amigos.

Os outros estranharam-lhe o ar pensativo e tristonho.

— O que é que tens?

— Eu? Nada!

A ideia de ter enganado o grupo sufocava-o. Sentir-se-ia no entanto demasiado ridículo se dissesse a verdade. Preferiu seguir viagem sem abrir o bico.

Um vento agreste empurrava-os pela estrada acima. Evitavam conversar para não engolirem ar frio nem gastarem o fôlego. Percorreram todo o caminho em passo acelerado, de modo que os músculos aqueceram. Quando chegaram ao casarão, iam a suar em bica apesar das temperaturas abaixo de zero.

À primeira vista a casa estava deserta. Chamaram, bateram à porta, nada.

— Não está cá ninguém — disse o Pedro, visivelmente abatido. — É melhor voltarmos noutra altura.

— Voltar noutra altura? Nem penses! Não fiz esta caminhada para no fim desistir. Se houver um tesouro no sótão, tenciono ser eu a encontrá--lo.

Pedro ainda insistiu:

— Se calhar não há tesouro nenhum. O papel que eu tenho é velhíssimo.

— E depois?

— Com certeza alguém o leu muito antes de mim...

Desconfiadas, Teresa e Luísa olhavam-no de soslaio. A intuição feminina garantia-lhes que ele dizia uma coisa e pensava outra. Mas o quê? Iam pedir-lhe que falasse com franqueza quando o Chico desencadeou o assalto:

— Se vocês não querem ir, vou eu. Já entrei nesta casa por uma janela e tenciono repetir a proeza.

— E se aparecerem os donos?

— Conto a verdade. Não estou aqui para roubar. Se encontrar o tesouro, dividimos com eles porque a casa pertence-lhes.

— Quem acha tem sempre direito a uma parte — lembrou o João.

— Exacto. Por isso mesmo é melhor despacharmo-nos. A Camila disse que tinham contratado operários para fazerem obras. Se chegarem antes de nós podem perfeitamente deitar uma parede abaixo e descobrir... descobrir... uma baú cheio de pepitas de ouro.

— Pepitas? Ah! Ah! Ah! Julgas que o sótão é uma mina?

Chico riu-se também.

— Pepitas, lingotes, moedas, ouro em pó, cá para mim tanto faz. Contento-me com pouco.

Já se preparava para subir à janela quando Pedro o deteve:

— Não sei se vale a pena. Lembrem-se que a escada para o sótão está interrompida. Faltam-lhe degraus.

— Ah! Pois é!...

Pouco disposto a recuar, Chico olhou a fachada da casa. O sótão tinha janelas para o telhado. Se conseguisse chegar até lá, resolvia a questão.

— Vou tentar — disse, empoleirando-se nos suportes de um algeroz metálico. — Se esta geringonça aguentar, trepo por aqui acima e depois lhes digo se devem seguir-me ou não.

Que escalada perigosa. O algeroz estava ferrugento e balançava. Podia desconjuntar-se, e nesse caso, ai do Chico! Ele fazia-se leve, distribuindo o peso do corpo com equilíbrio. Só mudava de posição quando sentia o mínimo de segurança. Devagar, devagarinho, subiu mesmo até ao telhado. Mas no momento em que se sentou no beiral... Schlanc! Prlonc... schonc! O algeroz desfez-se em pedaços e caiu cá em baixo com grande estrondo.

— Bonito, sim senhor! Agora temos o Chico no sótão sem maneira de descer. E nós no jardim sem maneira de subir.

— Cala-te, Pedro! Hoje parece que resolveste ser do contra.

— Resolvi ser do contra, não. Mas acho um disparate metermo-nos nesta trapalhada. Aposto que debaixo das telhas só há lixo.

Chico não estava nada preocupado com a situação. Chegara onde queria e agora só lhe interessava levar a bom termo a etapa seguinte. Guindou-se até ao parapeito, empurrou o caixilho e com um safanão brusco fê-lo ceder. Antes de entrar, acenou aos amigos.

— Hu, hu! Sinto-me um gato dos telhados!

Radiante, deixou-se escorregar para o interior. Lá dentro estava escuro, mas assim que os olhos se habituaram à escuridão ficou sem fala.

— Não pode ser! Não acredito no que vejo!

Ainda não se refizera quando assomou à janela.

— Então? — perguntaram os outros na brincadeira. — Valeu a pena o esforço?

Ele deitou a língua de fora como se tivesse falta de ar e emitiu um som gutural.

— Gâ...

— Que é que tens?

— Engoliste um morcego?

A resposta foi um violento ataque de tosse.

— Mau!

Começavam a ficar inquietos. Haveria no sótão algum tipo de poeira que provocasse alergias? Chico estaria a gozar ou estaria aflito? Queriam ir para ao pé dele, mas como?

A cabeça encaracolada desapareceu e fez-se silêncio.

— Chico! — berraram em coro. — Chico!

O rapaz parecia ter levado sumiço.

— Acham que desmaiou?

# Capítulo 9

# O esconderijo ideal

— Não espero nem mais um minuto. Vou entrar pela mesma janelinha que usámos no dia do nevão.

Seguiram o Pedro e içaram-se, absolutamente determinados a alcançar o sótão.

— A escada está interrompida mas não faz mal. Pomos bancos em cima de mesas, arranjamos uma corda, seja lá como for havemos de subir.

Chegados ao andar de cima ouviram «rec... rec... rec...» no tecto. E para alívio geral ouviram também a voz do Chico dizer:

— Achei! Achei!

Não estava portanto desmaiado. Ainda bem.

Propunham-se arrastar a cómoda do quarto mais próximo pensando que talvez servisse para atingirem os últimos degraus quando o «rec... rec» passou a «roc... roc...», abriu-se um alçapão entre as tábuas e o Chico apareceu a espreitar, escarlate do esforço e da excitação.

— Subam! Subam depressa! Vão ter a maior surpresa da vossa vida.

— Subimos como?

— Com isto — declarou a Luísa. — Encontrei um escadote.

Nem perderam tempo a perguntar onde. Amarinharam a quatro patas, mortos de curiosidade.

Chico não os enganara. A surpresa excedeu todas as expectativas. O sótão era uma divisão imensa, pois ocupava a mesma área da casa. À volta acumulavam-se velharias de toda a espécie e em grande quantidade. O que estava a mais era o «tesouro». Um inesperado «tesouro» à vista: jóias e mais jóias, umas inteiras, outras desmanchadas. Havia pedras preciosas, suportes em ouro e em prata, relógios, medalhas, crucifixos, pérolas, tudo arrumado sobre o tampo de uma mesa rectangular.

— São as jóias roubadas! — exclamou a Luísa num pasmo. — Eu vi este anel ontem na ourivesaria!

— Já percebi tudo — disse o Pedro frenético. — Os Mil Caras são ainda mais espertos do que eu julgava. Com certeza disfarçaram-se de operários, falaram com o pai da Camila para fazerem as obras nesta casa e assim arranjaram um esconderijo estupendo. A esta hora toda a gente pensa que fugiram para Espanha e eles esconderam tudo debaixo das barbas da polícia. Não passa pela cabeça dum prego que depois dos assaltos na Covilhã venham esconder-se a poucos quilómetros. Aqui estão seguros.

— Hummm... não sei. O dono da casa podia querer ver as obras.

— Isso não era problema. Enquanto precisassem do esconderijo, fingiam andar lá por baixo a fazer obras. Depois desapareciam e pronto.

— E se a Camila ou os pais viessem cá acima?

— Não vinham. A escada está partida e, desconhecendo a história das jóias, o que é que vinham fazer? Isto é o esconderijo ideal.

O ruído inconfundível de um motor pô-los em sobressalto. Acabava de entrar um carro no jardim. João, que estava mais perto da janela, empoleirou-se e deitou uma mirada aos ocupantes.

— É o falso instrutor de *ski* — balbuciou atrapalhadíssimo. — E não vem sozinho.

Após um segundo de hesitação, Chico ordenou-lhes:

— Escondam-se! Escondam-se sem fazer barulho.

As gémeas precipitaram-se de imediato para dentro de um armário descomunal com porta de espelho. João aproveitou uma pilha de caixas redondas e ovais para se esconder atrás. Pedro rebolou para o esconso e cobriu-se de mantas velhas. Chico correu a fechar o alçapão. Depois descalçou-se e deslizou em meias para junto do Pedro.

— A escada? — perguntou num sussurro.

— Ficou onde estava. Se eu atirasse com ela fazia uma barulheira — respondeu Chico no mesmo tom.

«Vão perceber que alguém subiu», pensavam ambos. «E agora?»

Do sítio onde estavam podiam observar o patamar de baixo por uma nesga entre as tábuas.

Colaram a cabeça ao chão e aguardaram. Qualquer deles recordava insistentemente a frase da polícia: «Os Mil Caras preferem roubar iludindo, mas se for preciso sacam da pistola... se for preciso sacam da pistola... se for preciso sacam da pistola...»

Chico não reagia ao medo paralisando. Em situações de perigo o cérebro encaminhava-o para soluções práticas. Embora o sangue lhe corresse nas veias a uma velocidade louca, tratou de arrebanhar duas trancas de ferro para o que desse e viesse. Fez sinal ao Pedro.

— Se aparecerem por aí, pega nisto e tunfas! Mesmo que tenham armas talvez a gente consiga pô-los fora de combate à trancada.

— Pshiu! Cala-te!

A escada rangia.

— Estão a subir...

Pela frincha avistaram em primeiro lugar a cabeça do falso instrutor de *ski*. Com ele vinha uma rapariga de cabelo preto muito curto e modos arrapazados. Seria a mesma da joalharia? Nesse caso, que assombrosa capacidade de disfarce! Pedro seguia-lhe os movimentos com um olho fechado e outro aberto para ver melhor.

Não era a mesma, porque o nariz não coincidia. No entanto, a figura lembrava-lhe alguém, tinha qualquer coisa de familiar nos gestos, na forma de inclinar o pescoço.

— Ó Torcato, deixaste o escadote no sítio? — perguntou a rapariga admirada.

— Eu não. Deve ter sido um dos outros. Que falta de cuidado!

— Não faz mal. Agora até dá jeito.

Pedro e Chico encolheram-se debaixo das mantas, num sufoco. Queriam prevenir os amigos mas não ousavam emitir um único som. As gémeas também faziam esforços inauditos para se manterem imóveis, a fim de evitar que os Mil Caras notassem a presença de estranhos.

O alçapão rodou nas dobradiças e abriu-se para dar passagem ao Torcato e à sua companheira. Na penumbra não lhes distinguiam bem as feições.

— Foi uma boa colheita — disse ele aproximando-se da mesa. — Há muito tempo que não juntávamos coisas de tanto valor.

— É verdade. Olha para esta esmeralda. Que beleza!

A rapariga segurou a pedra entre os dedos e colocou-a em contraluz.

Por entre as caixas redondas João admirou os reflexos verdes da pedra preciosa, e a sensação de estar em perigo redobrou. Os bandidos tinham arrebanhado uma fortuna colossal. Eram pessoas violentas. Não hesitariam portanto em crivar de balas quem se lhes atravessasse no caminho.

Ideias semelhantes agitavam o espírito das gémeas.

«Se nos encontram estamos tramadas», pensavam.

A tensão impedia-as de respirar normalmente, e como o ar não chegava até ao fundo dos pulmões arfavam tal e qual dois cachorros exaustos. Quanto ao Pedro, rebuscava na memória uma pista para identificar a voz da mulher.

«Tenho a certeza de que já ouvi esta voz», repetia de si para consigo. «Mas onde?»

Por azar, ela não tornou a abrir a boca. Encostada à mesa, aplicava-se a dividir as jóias formando pequenos montes com peças do mesmo género. Ouro com ouro, pérolas com pérolas, brilhantes com brilhantes. Torcato enfiava cada montículo num saquinho de plástico. Tencionariam arrumar tudo? Nesse caso iam demorar horas. Que desespero!

Luísa sentiu um formigueiro pela perna acima e tomou consciência de que estava a ficar dormente. Tinha que se mexer. Tinha que mudar de posição. Contraiu os músculos e ensaiou um leve movimento de rotação do pé mas foi obrigada a deter-se porque o armário rangeu: crinch...

— O que é isto? — perguntou Torcato voltando a cabeça.

— Não é nada — respondeu-lhe a mulher. — As madeiras velhas estalam.

Entre sobretudos bafientos e vestidos esfiapados, as gémeas quase desfaleciam de susto. Para darem ânimo uma à outra, apertaram-se as mãos. Estavam gélidas! De súbito caiu-lhes em cima aquilo que julgavam ser uma gola de pele fofa. Só que a gola vinha quente, mexia e farejava. Era um rato. Um rato com a dentuça afiada, focinho húmido...

— Aiiii!

# Capítulo 10

# Moeda de troca

O berro das gémeas assustou toda a gente e teve o efeito que seria de esperar. Torcato lançou-se sobre o armário, quase arrancou a porta e tirou de lá de dentro as duas infelizes ao safanão. Chico irrompeu de tranca no ar e talvez tivesse resolvido o problema não fosse um maldito rolo de arame que lhe fez perder o equilíbrio, e zás!... a tranca, em vez de acertar na cabeça do homem, acertou no armário com toda a força. Desconjuntaram-se as tábuas, o varão caiu e as roupas abateram-se, levantando uma nuvem de poeira que cegou e fez espirrar os que estavam mais próximos. Isto deu tempo e oportunidade à rapariga para sacar da pistola.

— Lá para baixo! — ordenou. — Lá para baixo já! Estes espertinhos devem ter um montão de histórias para nos contar.

Eles obedeceram sem dar o mínimo indício de que havia mais quem estivesse escondido. Se os amigos continuavam ocultos, decerto tinham um plano...

Na verdade Pedro agira por impulso. Assim que os outros foram descobertos, puxou o João para debaixo das mantas aproveitando a confusão e a poeirada. Alguém tinha que ficar livre para salvar o grupo. O pior é que não lhe ocorria nenhum plano rápido e eficaz.

— Estou tão nervoso que nem consigo raciocinar — queixou-se.

João, também nervosíssimo, roía as unhas até ao sabugo. Não se atrevia a pôr a cabeça fora da manta e demorou a perceber que a casa mergulhara no mais profundo silêncio.

— Terão ido embora? — perguntou o Pedro em voz baixa. — Terão ido embora?

Ao dar com os olhos na mesa repleta de jóias, animou-se.

— Hum... Ainda devem estar por aí.

— Porquê?

— Porque não levaram estes saquinhos cheios de ouro e pedras preciosas. Com certeza não saem sem limpar tudo.

— Achas?

— Acho. Se não forem completamente parvos têm que partir do princípio que o esconderijo já não é seguro.

— E então? Fazemos o quê?

— Pega numa tranca que eu pego noutra. Pomo-nos um de cada lado do alcapão. Quando eles entrarem, atacamos.

Colocaram-se em posição e aguardaram estáticos como manequins. Já lhes doía o braço quando foram obrigados a aceitar o inevitável. Não estava mais ninguém naquela casa! Espreitando pela janela do sótão confirmaram a suspeita. O carro partira.

— Não podemos perder a cabeça — disse o Pedro.

A voz tremia-lhe, estava lívido, mas fazia-se forte.

— Vamos sair daqui e pedir socorro. Ainda não devem ir longe...

Levantou as tábuas do soalho e deparou com nova dificuldade.

— Retiraram o escadote. Temos que saltar.

A altura metia respeito!

— Se atássemos as mantas umas às outras? Prendiam-se num prego e serviam de corda para escorregarmos.

Pedro olhou para o relógio com vontade de deter os ponteiros. Quanto mais tempo passasse, mais complicado seria encontrar a pista dos bandidos!

— Não pode ser. Temos que saltar.

— Então vou eu primeiro — disse o João, já deslizando pelo buraco.

Pendurou-se, enrijou os músculos e deixou-se cair flectindo as pernas, conforme aprendera no ginásio. A aterragem foi razoável. Logo a seguir Pedro executou movimentos idênticos, mas infelizmente com resultados díspares. Caiu desamparado e torceu o pé direito.

— Ui!

— Magoaste-te, pá?

— Não. Isto não é nada.

Ao tentar levantar-se sentiu um dor tão forte que nem conseguiu apoiar o pé no chão. A carne latejava e o tornozelo adquirira um volume bem superior ao normal.

— Vai tu, João! Vai tu procurar alguém que nos ajude.

— E deixo-te aqui sozinho?

— Não há outra hipótese. Eu arrasto-me para debaixo de uma cama, escondo-me em qualquer sítio.

— E se eles aparecem?

— Não te aflijas. Lembra-te de que ignoram a nossa presença. Quem corre perigo não somos nós, são as gémeas e o Chico. Corre!

João hesitava, dilacerado entre duas obrigações.

— Vai! — berrou-lhe o Pedro.

Dispunha-se a obedecer quando veio contra--ordem.

— Espera! Temos que fazer outra coisa primeiro.

— O quê?

— Pega no escadote, sobe lá acima e trás as jóias. Caso apareça alguém podemos ganhar tempo e usá-las como moeda de troca.

☆

— Se virmos bem, até foi útil apanharmos estes miúdos. Caso haja azar, sempre podemos servir-nos deles como moeda de troca.

— Moeda de troca? Nem penses! O meu pai vai querer eliminá-los sem mais delongas.

Chico e as gémeas viajavam no banco de trás amarrados e cobertos por sacas. Ouviam perfeitamente a conversa dos raptores e já tinham reconhecido a voz da rapariga. Era a «simpática» Camila. Sem cabelos loiros ficava irreconhecível.

«Como é que pudemos ser tão estúpidos?», pensavam. «Apesar de nos dizerem que era uma quadrilha "de mil caras", não desconfiámos que a cabeleira loira fosse postiça. Que imbecis!»

Os acontecimentos dos últimos dias encaixavam-se agora na perfeição. A família Ferraz comprara uma casa isolada na serra para ter onde desmanchar e esconder as jóias que roubava. Por isso a falta de hospitalidade na noite do temporal. Agora entendiam a frase que Camila utilizara para acalmar o pai. Recordavam-se com nitidez: «Daqui a pouco vão-se embora e não voltam cá.» Recordavam também a ansiedade com que ele respondera «Tens a certeza?». Claro! Qualquer pessoa que se aproximasse seria considerada indesejável. Mesmo que apenas quisesse abrigar-se da neve. Podia aparecer de novo como visita no momento mais inoportuno.

Compreendiam também o que se passara no hotel. O falso instrutor de *ski* convencera os hóspedes a subirem às pistas para deixarem o caminho livre à cúmplice. E a cúmplice era a própria Camila. Uma espertalhaça! Soube fingir que a tinham roubado para desviar as atenções. Ainda estavam a vê-la a estrebuchar nos braços do Pedro... E ele tão entusiasmado com a loira! Coitado do Pedro!

No mesmo instante em que pensavam no amigo, Camila referiu-se-lhe:

— Olha lá, Torcato, estes miúdos andavam com mais dois. Um pequenino e outro de óculos.

— Tens a certeza?

— Absoluta. Quando fugiste pela janela do hotel o rapaz dos óculos tentou alertar a polícia dizendo-lhes que tinhas cúmplices. Fui eu que o impedi.

— Como?

— Desmaiei-lhe em cima.

Torcato riu-se.

— És levada da breca.

— Pois sou. Mas desta vez está-me cá a parecer que agi de maneira precipitada.

— Porquê?

— Porque arrastámos os miúdos do sótão sem verificar se havia mais alguém lá escondido.

— Que disparate! Se os outros lá estivessem a gente tinha-os visto.

— Não sei. Acho melhor voltarmos para trás.

— Ná! Tem paciência, mas agora já estamos perto e quero levar estas três «encomendas» ao teu pai. Ele que decida o que se há-de fazer.

# Capítulo 11

# O covil

A quadrilha não tinha só muitas caras, tinha também muitas casas. E boas! Constataram o facto quando foram introduzidos numa bela propriedade situada na outra encosta da serra. Muros altos, jardim impecável, fachada acabadinha de pintar, telhado em bico recoberto por escamas de ardósia. Quem passasse por ali só podia imaginar os ocupantes como sendo uma família pacata e feliz.

«Não há dúvida que sabem disfarçar-se», pensava o Chico. «Até mascaram as casas.»

Tinham atravessado várias salas mobiladas com elegância discreta. Depois desceram uma escadinha que dava acesso à cave, e aí esclareceram outro mistério. Afinal sempre havia motivo para comprarem tanto queijo da serra. Serviam-se dos queijos para transportar as jóias sem levantar suspeitas. O processo era simples: abriam uma tampinha na casca e enfiavam os pequenos sacos de plástico com ouro e pedras preciosas no interior do creme amanteigado, viravam o queijo ao contrário e pronto! Quem é que ia desconfiar de semelhante carregamento? Ninguém. As camionetas podiam circular à vontade.

O pai de Camila acabava de acondicionar a sua preciosa mercadoria num caixote quando viu a filha aparecer trazendo companhia. Ficou apopléctico! Berrou tanto que eles concluíram estar num aposento com paredes à prova de som. Camila não se deixou intimidar e respondeu-lhe gritando ainda mais alto:

— Então eu é que executo as tarefas mais arriscadas, eu é que faço planos, eu é que estabeleci os contactos, montei o esquema, ensinei os novos elementos a disfarçarem-se e agora trata-me assim só porque este grupo de miúdos descobriu um dos nossos esconderijos? Era só o que faltava! Olhe que os sócios gostam mais de trabalhar comigo do que consigo. Se houver briga de família, ganho eu.

Ouvindo-a, as gémeas envergonharam-se por terem acreditado tão facilmente naquilo a que chamavam a sua fantástica intuição feminina. Afinal Camila não era simpática nem com o próprio pai. Este não era um simples estafermo. Possuía defeitos bem mais graves! E quanto à mãe, ao contrário do que tinham pensado, não era idiota nenhuma. Era uma vítima. Entendiam agora o permanente olhar reprovador. Não devia ter forças para enfrentar o marido e a filha nem para os denunciar. Que pena!

A zanga não durou muito porque a própria Camila lhe pôs fim:

— A conversa não leva a lado nenhum e eu ainda tenho muito que fazer hoje. Quero voltar ao sótão o mais depressa possível. Receio que as jóias não estejam em segurança.

— Porquê?

— Porque se estes miúdos lá chegaram, outros podem fazer o mesmo.

Virando-se para eles, perguntou:

— Quem mais é que sabe do esconderijo?

— Ninguém — respondeu o Chico sem hesitações. — Nós descobrimos o sítio por acaso. Gostamos de explorar casas velhas. Como sabíamos que a sua ia ser modernizada, quisemos vê-la antes de ser destruída pelas obras.

— E os outros dois rapazes, não andavam no mesmo grupo?

— Andavam, mas foram-se embora ontem — mentiu a Luísa.

— Não chegaram a conhecer o sótão?

— Infelizmente não — disse a Teresa, a fim de afastar possíveis desconfianças. — Se eles soubessem o que se passa não deixariam de nos ajudar.

Camila fitou-os um por um, tentando perceber até que ponto falavam verdade. Não se deu por satisfeita e concluiu:

— Pelo sim, pelo não, dou lá uma saltada. Trago a mercadoria, e se andar alguém a rondar a porta trato do assunto.

— Vais sozinha?

— Vou. Com a minha pele de loira simpática despisto qualquer um.

Abriu a gaveta, retirou a linda cabeleira e eles assistiram a uma autêntica metamorfose. A rapariga não se limitava a mudar de penteado. Mudava de aspecto, de voz, de personalidade. Após uns segundos de concentração, rodopiou sobre si mesma e lá estava outra vez a jovem alegre e atraente que tinham conhecido na noite do temporal. O andar era outro, o sorriso também. Se tivesse escolhido ser actriz, com certeza faria uma carreira espectacular.

Preparava-se para sair quando o pai a deteve.

— Ao menos leva uma arma.

— Não vale a pena. Tenho aqui na carteira a minha arma preferida.

Como não a mostrou, ficaram sem saber o que era. Mas afligiram-se.

— Oxalá que o Pedro e o João se tenham posto a milhas daquela casa — sussurrou a Teresa ao ouvido da irmã.

— E que tenham dado o alerta. Se não nos descobrem a tempo, tudo pode acontecer.

Camila enfiara um camisolão de neve azul e branco que lhe fazia ressaltar a cor dos olhos. Despediu-se com acenos leves e femininos.

— Até logo! Tenho um pressentimento que no regresso hei-de trazer mais dois pássaros para a nossa gaiola...

☆

Pedro torcia-se com dores no pé. Tinha inchado tanto que fora obrigado a descalçar o sapato. Estendido num dos sofás do salão, tentava distrair-se, pensar noutra coisa, mas não conseguia. João ajudara-o a descer e seguira à risca as suas instruções, começando por esconder a trouxa com as jóias atrás do retrato pintado a óleo. Desistiram, porque o quadro ficava de esguelha e via--se perfeitamente o embrulho.

Decidiram então metê-lo dentro do piano. As teclas deram um leve sinal de protesto — plonc... tinc... — e o som ficou a pairar entre as nuvens de poeira durante muito tempo. Quanto tempo? Pedro não tinha maneira de saber porque o relógio se partira na queda. Ansiava pelo regresso de João, pela chegada de alguém que o socorresse. Mas estava convencido de que a espera seria longa e fazia esforços para não se descontrolar.

Motivos não lhe faltavam! Estava sozinho e imobilizado num antro de malfeitores que a todo o instante podiam irromper na sala de pistola em punho. Os amigos tinham sido raptados e o único sobrante era o mais novo. Coitado do João. Que grande peso para ombros tão frágeis!

A enumeração mental das desgraças acabou por funcionar como anestesia. Enquanto desfiava pensamentos negros, esqueceu-se do pé e já não sentia tantas dores. Recostou a cabeça nas almofadas, semicerrou as pálpebras e foi-se deixando afundar numa espécie de sonolência que o defendia do pânico. Foi nesse estado de espírito que tornou a ver rodar a maçaneta da porta, abrir--se uma frincha cada vez maior e surgir do lado de lá a cabeleira loira que lhe povoava os sonhos mais doces.

— Camila — murmurou incrédulo. Parecia--lhe bom de mais para ser verdade.

Ela aproximou-se com um sorriso terno. Os olhos azuis faiscavam, reforçados pela cor da

camisola, e movia-se com a elegância de uma bailarina.

— Então por aqui? Que surpresa agradável! — disse, imprimindo à voz uma entoação de canto. — Nunca pensei que nos tornássemos a encontrar no salão das velharias. Vieste sozinho?

A alegria, o alívio, a confusão das peripécias emudeceram-no.

— Estás sozinho? — insistiu ela.

Em vez de responder, suspirou:

— Oh! Camila, que bom ter aparecido. Nem calcula o que tenho para lhe contar!

# Capítulo 12

# A arma preferida

Camila representava de facto muito bem. Fingia-se consternada com a história que acabava de ouvir e nem sequer dava sinais de impaciência.

— Parece impossível! Como é que se atreveram a usar a nossa casa? Com certeza foram os operários que contratei para as obras. Falsos operários. O meu pai vai ficar desvairado quando souber. Temos que prevenir a polícia sem mais demoras. Anda comigo. Levanta-te, que eu ajudo.

Amparou-o carinhosamente e só então perguntou:

— É verdade, e as jóias? Ficaram no sótão ou vocês esconderam-nas?

— Escondemos.

— Onde?

Se Pedro não estivesse envolvido num delicioso abraço talvez notasse o esgar de ansiedade que se estampara no rosto de Camila. Mas assim, não deu por nada e ergueu a tampa do piano com ar triunfante.

— Aqui. Não é um bom sítio?

— Excelente! — disse ela, arrebanhando o embrulho na maior avidez. — Excelente.

Um pouco desiludido por não ouvir mais elogios, Pedro lembrou-lhe:

— Se formos depressa apanhamos o João na estrada e podemos ir juntos à Covilhã.

— Claro, claro! Agarra-te a mim, vá.

Sempre enlaçados, percorreram o caminho até ao automóvel. Camila instalou-o no lugar da frente e fechou a porta de uma forma um tanto ou quanto brusca. Meteu as jóias no porta-bagagens, sentou-se ao volante e arrancou.

— Tens a certeza de que o teu amigo veio por aqui? — perguntou várias vezes num tom seco.

— Tenho. Ele não conhece outro percurso.

Pedro começou a achá-la diferente. Nervosa, distante, quase agressiva até. Por que seria?

— Você enerva-se a guiar?

Ela soltou um riso desagradável, um riso que soava a falso. Não aprofundou o assunto porque avistaram o João correndo como louco na beira da estrada.

Buzinadelas, acenos, travões a fundo, e pronto! João voou para o banco de trás. Estava exausto, ofegante, e também ele se congratulou com o aparecimento de Camila:

— Você? Caiu do céu aos trambolhões! Já sabe tudo, não sabe?

Em vez de esperar pela resposta, debruçou-se com os braços apoiados no banco da frente. Preparava-se para contar a sua versão da história recordando os mais ínfimos pormenores. Não o fez porque os cabelos loiros se enrolaram num botão da manga da camisa. Ao tentar soltá-los deu um esticão e... a cabeleira escorregou pela nuca e caiu, deixando à mostra uma cabeça que reconheceram no mesmo minuto. A companheira de Torcato! Pedro ficou tão transtornado que ia vomitando.

— Pare o carro! — disse num sopro. — Pare o carro!

Desta vez não foi um riso desagradável, foi uma gargalhada sinistra.

— Ah! Ah! Ah! Grandes papalvos! Queriam armar em espertinhos? Para me fazerem frente ainda têm que comer muita canja de galinha.

A raiva ajudou Pedro a recompor-se. Deitou a mão ao fecho para saltar do carro em andamento. Ela ficou possessa. Deu uma guinada à direita, encostou à berma, abriu a carteira e retirou lá de dentro um *spray* que accionou diante do nariz de Pedro. Fsssst!

Mal inspirou o produto, o rapaz perdeu o domínio de si mesmo. Os músculos ficaram flácidos e deixaram de obedecer às ordens enviadas pelo cérebro. O maxilar descaiu e a língua também. Da ponta escorria-lhe um fio de baba. Antes de perder os sentidos viu o mundo alterar--se. À sua volta tudo crescia e aumentava, tal qual um balão a ser insuflado. A face que tinha achado tão bela tornou-se monstruosa, assim a inchar, a inchar... As narinas pareciam duas cavernas repulsivas e a boca uma cratera de vulcão. Nos olhos azuis disformes só havia maldade.

O *spray* provocava alucinações. Mas neste caso ajudou o Pedro a ver uma alma por trás de um rosto. A alma de Camila era tão feia!

João não sofreu os mesmos efeitos porque não estava ao alcance do gás. Antes que ela o pusesse a dormir, resolveu tomar uma iniciativa. Deitou-lhe as mãos ao pescoço e vá de apertar com força. Colhida de surpresa, Camila estrebuchou e debateu-se com falta de ar. A aflição obrigou-a a largar o *spray*. Num ápice, João apanhou-o, premiu o botão e fez incidir o jacto bem dentro da boca que abria e fechava para recuperar o fôlego. A rapariga desfaleceu em cima do volante.

Encorajado com a proeza, abanou o amigo e gritou-lhe aos ouvidos:

— Acorda, pá! Temos que fugir!

Ele nem pestanejou. Aquele produto devia ser fortíssimo e ter efeitos prolongados. A única solução era ir em busca de socorro. Como estava perto da Quinta de S. Francisco, para lá se dirigiu numa correria. Nem sentia o chão debaixo dos pés! O que sentia era o frasco do *spray* a chocalhar dentro do bolso do anoraque.

«Se aparecer algum dos outros bandidos ferro-lhe com esta mistela nas trombas que o marmanjo até há-de guinchar...»

Quando viu a casa ao longe, que alívio! Redobrou a velocidade, ansioso por ir ao encontro de gente amiga, gente mais velha que saberia tomar as decisões necessárias. Mas os tormentos de João ainda não tinham chegado ao fim. A casa estava deserta. Por muito que batesse a portas e janelas, não apareceu vivalma. Teriam ido longe? Teriam ido perto? Foi necessário um grande esforço para não largar num berreiro.

Valeu-lhe o aliado de sempre, o querido *Faial*. Sentindo o desespero do dono, apressou-se a farejá-lo e a lamber-lhe a cara como quem diz: «Estou aqui para o que for preciso.»

João rodou nos calcanhares e tomou o caminho inverso.

— Anda, *Faial*! Vamos salvar o Pedro. Depressa!

A intenção era boa. Não puderam cumpri-la porque só encontraram o automóvel. De Pedro e Camila nem sinais.

# Capítulo 13

# Incertezas

Desta vez as lágrimas rebentaram a quatro e quatro. João sentou-se numa pedra a chorar desabaladamente. Sentia-se perdido. Onde estariam os amigos? O que havia de fazer? Ao seu lado *Faial* soltava latidos amistosos, com o focinho encostado às pernas do dono. Formavam um conjunto que era a perfeita imagem da desolação. Não estranharam portanto que a primeira viatura a passar na estrada encostasse à berma para oferecer auxílio. O motorista e o ajudante puseram-se a fazer perguntas tão directas que até parecia estarem dentro do assunto.

Perturbadíssimo, João não desconfiou de nada. Achou os homens simpáticos e prestáveis, fez-lhes o relato dos seus problemas e aceitou de boa vontade a boleia que lhe ofereciam para ir à Covilhã. Ele próprio ajudou a meter o *Faial* na parte de trás, que ficava separada dos bancos por uma rede. Depois sentou-se ao lado do motorista a enxugar as lágrimas com a ponta dos dedos. Não deu qualquer atenção ao que dizia o ajudante nem pôs em causa o facto de ele não os acompanhar. Só percebeu que se metera na boca do lobo quando viu pelo retrovisor o carro de Camila em andamento, conduzido agora pelo ajudante do motorista. Percebeu também que não tinham tomado a estrada da Covilhã. O coração contraiu--se, ficou pequeno e a doer dentro do peito.

«Estou tramado», pensava. «Caçaram-me como um patinho.»

Uma única coisa o animava: fosse para onde fosse que o levassem, os amigos com certeza estavam lá!

— Então? Não pias? — perguntou-lhe o homem com voz de troça.

Virou-lhe as costas e manteve-se silencioso. Parecia-lhe melhor assim.

☆

Presos na cave, os amigos desesperavam. Estavam mortos de fome, e o cheiro intenso a queijo da serra fazia-lhes crescer água na boca. Ainda por cima a quadrilha resolvera divertir-se de forma bastante cruel: banquetearam-se na frente deles, gabando a excelência dos petiscos:

— Este pão quentinho está como eu gosto — dizia o pai de Camila. — Olhem a côdea a estalar. Hum... que delícia.

Barrou uma fatia bem grossa com sucessivas camadas de queijo, exibindo-a maldosamente enquanto dava dentadinhas gulosas. O queijo escorria-lhe pelo queixo e ele lambia-se regalado.

«Será que tencionam matar-nos à fome?», pensavam as gémeas.

«Será que tencionam matar-nos de raiva?»,

pensava Pedro, ainda estonteado com a sucessão de experiências desagradáveis.

Nenhum deles podia reagir porque os tinham amarrado de pés e mãos a umas cadeiras de verga. Ignoravam a sorte que lhes destinavam, e a última esperança de se safarem residia no João. Era o único a poder alertar as autoridades para o que tinha acontecido. Se montassem uma grande operação de busca talvez conseguissem encontrá-los.

A esperança desfez-se quando, após um rumor na escada, viram entrar o João. O olhar que cruzaram falava por si.

— Então sempre havia mais um — disse o Torcato. — Esta miudagem é tramada. Se eu não tivesse resolvido ir na pista de Camila e depois mandar buscar o carro, sabe-se lá o sarilho que nos arranjavam!

— Têm a certeza de que o grupo está completo? — perguntou o chefe.

— Tenho — disse Camila. — Não se lembra de os ver na casa velha?

— Ah? Sim, sim.

— Então decida lá o que se faz com eles.

— Deixa-me pensar. Quero uma solução radical que não nos comprometa.

A incerteza prolongou-se até à noite. Ninguém lhes deu nada de comer ou de beber. Deixaram-nos na cave sozinhos, presos às cadeiras e fechados a sete chaves. Já escurecera quando os vieram buscar. Desataram-lhes os pés e ordenaram:

— Vamos para cima. Toca a andar em fila

indiana. Não tentem armar em espertinhos senão arrependem-se!

Como o homem lhes apontava uma pistola foram obrigados a cumprir as instruções à risca.

A quadrilha reunira-se em peso no jardim das traseiras. Estavam lá todos menos a mãe de Camila. *Faial* continuava na viatura da rede. Agitava-se inquieto e infeliz como uma fera enjaulada. Logo que os viu aparecer atirou-se de encontro aos vidros, raspando furiosamente com as unhas. Em vez de ladrar soltava latidos agudos como nunca lhe tinham ouvido.

— Tratamos primeiro dos miúdos ou do cão? — perguntou Torcato.

— Abate já esse cachorro nojento que não se cala — disse Camila.

— Abater o cão? Nem pensar!

Olharam todos para o pai de Camila sem perceber por que motivo tomava a defesa do animal. Seria aquele género de pessoa que não tem o mínimo respeito pelos seres humanos mas que adora toda a espécie de bichos? Nesse caso talvez se lembrasse de o soltar e então se veria...

— É um pastor-alemão.

A filha interrompeu-o.

— E daí? Agora quer dedicar-se a criar rebanhos?

— Não sejas parva. Quero ficar com o cão e treiná-lo para me obedecer. Os pastores-alemães são muito inteligentes e aprendem com facilidade o que se lhes ensina.

— Aprendem com quem sabe impor-se e não me parece que seja o caso.

— É o caso, sim. Eu sei muito bem dominar animais. O mais importante é não mostrar medo. Depois, com calma e firmeza tudo se consegue. Os cães obedecem a quem lhes dá de comer.

— Tretas!

— Tretas não! Hei-de fazer-te engolir essas provocações.

— Então chegue-se, chegue-se lá para ao pé dele e vai ver o que lhe acontece.

— Pois chego. Mas primeiro vou conquistá-lo.

Virando-se para a porta da cozinha gritou:

— Ó Lurdes! Traz-me um bife! Um bom naco de carne em sangue.

A mulher assomou à porta com a única expressão que lhe conheciam. Estendeu a carne e disse qualquer coisa num murmúrio reprovador.

Eles seguiam o vaivém em ânsias. Não havia comida nenhuma neste mundo que levasse o *Faial* a trair o dono. Se o homem realmente o soltasse, teriam uma hipótese de se salvarem.

O pai de Camila girava de roda do automóvel exibindo o bife através das janelas. E repetia uma frase que considerou cativante:

— Carninha... carninha... Quem te dá carninha teu amigo é.

A certa altura julgou que o tinha conquistado e entreabriu a porta. Não foi preciso mais nada para o *Faial* se lançar em voo, não para cima do bife mas para cima do homem. O impacte levou os dois ao chão. Rebolaram uns segundos e o pai de Camila só não ficou desfeito porque João, vendo Torcato sacar da arma, berrou:

— Larga-o, *Faial*! Larga-o já. Quieto!

Treinado para obedecer, obedeceu. Sentia-se o ódio no olhar feroz e na tremura do corpo. Mas ficou imóvel como o dono queria.

Camila largou à gargalhada.

— Com que então sabe dominar animais? Ah! Ah! Ah! Que bela exibição!

O pai levantou-se, sacudiu a roupa e alisou os cabelos. Ao passar a mão pela cara espalhou sangue nas bochechas. A única solução para ultrapassar o ridículo era não desarmar:

— Fui precipitado. Um treino desta natureza leva muito tempo. Vou metê-lo no antigo galinheiro que temos ao fundo da quinta e depois com calma hei-de conseguir amestrá-lo.

— E como pensa conduzi-lo até lá? — perguntou-lhe a filha, irónica.

— Muito fácil. Mando o miúdo.

João teve que desempenhar a pior tarefa da sua vida: encerrar o *Faial* no galinheiro dos bandidos. Mas se não o fizesse corria o risco de que o abatessem. Sem alternativa, executou o que lhe ordenavam. À despedida envolveu-lhe o pescoço num longo abraço.

— Coragem, *Faial*. Coragem. Eu volto para te buscar...

# Capítulo 14

# Não sabia que eram assassinos!

Quando o João voltou para junto dos amigos estalara uma violenta discussão familiar:

— Soltar os miúdos? Que ideia mais estapafúrdia! Se os largássemos eles iam imediatamente à polícia — gritava o pai.

— Tem toda a razão — dizia a filha. — São pequenos mas são perigosos.

A mãe é que não estava de acordo. Abandonara a expressão de derrota passiva e falava alto, gesticulando muito. De vez em quando batia com o pé direito no chão a sublinhar as frases.

— Perigosos? Que disparate! Podem ir contar a história a quem quiserem porque ninguém acredita neles. Vão julgar que inventaram tudo para se fazerem interessantes. E mesmo que alguém viesse tirar a prova dos nove, não encontrava nada. Basta levar as jóias para outro lado. Eles só conhecem dois dos nossos esconderijos e nós temos muitos.

— Temos muitos porquê? Porque eu e a tua filha trabalhámos para montar esta organização. Foi uma grande canseira e não vou deitar tudo a perder por causa de cinco miúdos.

— Ó pai, não ligue! A mãe resmunga, resmunga, mas o dinheirinho sabe-lhe bem. Veja lá se não anda cheia de anéis. Na hora de ficar com mais um, nunca pergunta donde o trouxemos.

— É assim mesmo. E não vale a pena perder mais tempo. Já resolvi, está resolvido.

Tomando ar fundo, acrescentou:

— Ó Torcato, leva-os para o sítio combinado. Não digas à Lurdes onde é, senão ainda temos problema.

Certo de que lhe obedeceriam, rodou nos calcanhares e foi para casa. De caminho arrastou a mulher por um braço.

— Anda! Tu precisas é de descansar.

Ela debateu-se, esbracejou e seguiu-o a reclamar em altos brados:

— Já sabia que vocês eram ladrões. Não sabia é que eram assassinos...

Aquela frase provocou um calafrio geral. Assassinos? Então iam matá-los!

Torcato tinha uma pistola mas não a disparou. Ordenou-lhes que entrassem numa pequena camioneta, fechou a porta e mandou o motorista seguir por uma estrada florestal. Não andaram muito.

— É aqui. Pára e apaga os faróis — disse.

Ficaram às escuras. O vento soprava por entre a copa das árvores, produzindo um assobio tenebroso. Estava frio mas o medo era tanto que até sentiam calor! Tinham saído da camioneta à espera de ouvir disparos. A pistola, no entanto, continuou muda.

— Tu! — disse o motorista apontando o Chico. — Vem comigo.

Ele avançou devagarinho a fim de ganhar tempo. Talvez uma ideia de última hora o ajudasse a ver-se livre daqueles malandros ou talvez surgisse uma oportunidade de os desfazer ao murro. Só desistiu porque o cano encostado à nuca não lhe deu alternativa.

Seguiu pelo carreiro que o homem lhe indicou e desapareceu atrás de umas moitas.

Os outros ficaram a vê-lo ir já sem reacção. A cabeça esvaziara-se-lhes e ouviam apenas um zumbido imaginário. Ou seria o vento? Tinham perdido as forças, a vontade, o raciocínio.

Quando o homem voltou fez sinal ao Pedro.

— Agora tu.

Para onde o levariam?

Contornou as moitas e do lado de lá viu o muro redondo de um poço. Aí detiveram-no. Amarraram-lhe as mãos atrás das costas, puseram-lhe uma mordaça e depois mandaram-no subir ao muro.

— Nem é preciso usar a pistola — diziam.

Pedro teve alguma dificuldade em equilibrar-se sem a ajuda das mãos. Empoleirou-se a custo, e no momento em que endireitava o corpo sentiu uma pancada forte nas costas que o precipitou no vazio...

A queda demorou apenas um milésimo de segundo mas chegou para perceber todo o plano dos bandidos. Um plano simples e eficaz. Defaziam-se deles atirando-os a um poço muito fundo.

Fechou os olhos, preparando-se para mergulhar em água gelada. Em vez disso afundou-se numa teia de ramos espinhudos que o magoaram

horrivelmente. Quis gritar mas o pano enfiado na boca só deixou sair um gemido:

— Euuu...

Através da ramaria soou logo outro gemido igual. Era o Chico! Aproximaram-se, ignorando os espinhos que lhes rasgavam a carne. Em boa altura se desviaram do centro, porque já lá vinha o João com velocidade de projéctil. Seguiram-se as gémeas, atiradas em simultâneo.

Era impossível verem-se, pois estava escuro como breu. Mas ouviam-se! Os gemidos permitiram concluir que a queda não lhes fora fatal.

Remexeram-se à procura de uma posição menos desconfortável. Ao fazê-lo Chico sentiu uma aresta cortante raspar-lhe a pele. Um vidro! Um pedaço de garrafa que algum veraneante atirara para ali. Agora ia ser muito útil. Cheio de paciência, pôs-se a esfregar a corda que lhe atava os pulsos nesse pedacinho abençoado. O ruído das fibras a desfazerem-se pareceu-lhe música celestial: tzzp... tzpp... tzzp... Com jeito libertou-se das amarras. Tirou imediatamente a mordaça e anunciou em voz baixa:

— Soltei-me. Cheguem-se a mim para eu vos soltar também. Não façam barulho. Os tipos podem estar lá em cima à espreita e se percebem que nos safámos despejam-nos o carregador em cima.

Trémulo e ansioso, perdera a destreza manual. Um simples nó adquiria proporções de sarilho. Demorou séculos a libertar os amigos! Quando terminou escorriam-lhe pingos de suor pela cara e pelas costas.

— Assim que recuperar forças amarinho pela parede e vou procurar alguém que nos ajude — sussurrou.

— Não vale a pena falarmos baixo — disse o Pedro com o maior desânimo. — Tenho estado à escuta e lá em cima já não há ninguém. Foram-se embora descansados porque não é possível sair daqui.

— Porquê? — perguntaram os outros em coro.

— Porque as paredes são lisas. Não têm pontos de apoio. Se vocês tactearem logo vêem que não minto. — Deu um suspiro muito triste e prosseguiu: — Não morremos afogados porque não há água. Mas vamos ter uma morte lenta. Não sei se não é pior.

Chico insurgiu-se:

— Francamente, Pedro. Isso nem parece teu! Estamos juntos, estamos vivos e vamo-nos safar. Se não tens uma ideia melhor, fazemos uma escada humana. Toca a subir aos ombros uns dos outros. Eu fico em baixo que sou mais forte.

Lá tentaram fazer a escada, mas a desilusão foi completa! Mesmo com todos a colaborar não chegavam nem a meio.

Desceram então e acomodaram-se no fundo, que felizmente era bastante largo. Não ousavam gritar por um motivo muito simples: sabiam que era o último recurso. Se gritassem e ninguém os ouvisse entrariam em desespero.

# Capítulo 15

# Do fundo do poço

Do fundo do poço

Como tinham a certeza de que só passaria ali alguém por acaso e nunca durante a noite, aguentaram corajosamente muitas horas sem gritar. Falavam entre si mas a conversa não tinha grande nexo. A certa altura Pedro tossiu para aclarar a voz e disse:

— Tenho uma coisa muito séria para vos contar.

Os outros admiraram-se. Nada lhes parecia importante senão fugirem do poço. Ele insistiu:

— A culpa do que está a acontecer é minha e só minha.

— Não sejas par...

— Chut! Deixa-me falar.

A vergonha era tanta que voltou a tossir para aclarar a voz. Custava-lhe fazer a confissão, mas ao mesmo tempo sentia necessidade de aliviar a consciência.

— Lembram-se do papel que nos levou ao sótão? Aquele papel antigo que se referia a um tesouro?

— Lembramos — disseram as gémeas sem perceber onde ele queria chegar. Tinham acontecido tantas coisas que o episódio parecia pertencer a outra vida.

— Eu falsifiquei o papel — confessou por fim. — Quis arranjar um pretexto para voltar ao casarão. Acho que estava apaixonado pela Camila.

Fez-se silêncio. Um silêncio tão profundo como o próprio poço. Por um lado sentiam vontade de lhe bater. Por outro admiravam-no, pois não devia ter sido fácil dizer a verdade.

Chico deu-lhe uma pancadinha fraterna no ombro.

— Não penses mais nisso, pá. Nós andávamos loucos a investigar o roubo das jóias, podíamos ter ido parar ao sótão seguindo outra pista qualquer. E quanto à Camila, tu não gostavas dela, gostavas era dos cabelos loiros.

Não falaram mais no assunto para não o atrapalharem. Ele ficou grato. Era tão bom ter amigos assim!

— Está a clarear. Acho que chegou a altura de pedir socorro.

— Um de cada vez para não ficarmos sem fôlego. Preparem-se.

— Como?

— Experimentem a garganta de modo a produzirem um berro que atinja a superfície.

Cada um ensaiou então o tipo de grito que lhe pareceu mais apropriado.

— Socorro! — berrou a Luísa.

O som voltou para baixo, deslizando nas paredes cilíndricas.

— Uuuu! — tentou o João.

Se alguém o ouvisse julgaria tratar-se de um mocho.

— Ôôôô!

O efeito obtido pelo Pedro foi semelhante ao de Luísa.

— Agora eu. Vou assobiar. Fiu! Fiu!

Bastante desanimados com a ausência de resposta, resolveram descansar um pouco. Era cedo para alguém andar a passear no alto da serra em pleno Inverno.

— Só se aparecer um pastor.

— No Inverno os rebanhos descem aos vales por causa da neve. Nesta altura não há pastores na zona.

— Como é que sabes?

— Disseram-me na Quinta de S. Francisco.

A notícia desanimou-os ainda mais. Estariam condenados a acabar os seus dias de forma tão estúpida?

Subitamente Luísa levantou-se.

— Pchiu! Ouçam!

Aproximava-se de facto um som. Um estranho som ritmado, uma cantilena trazida pelo vento. Não distinguiam as palavras mas terminavam em «ar».

Já estavam todos de pé na maior agitação e berravam que nem uns possessos.

— Socorro! Socorro! Socorro!

Os possíveis salvadores ainda não deviam tê-los ouvido porque continuavam com a mesma cantoria alegre e descuidada. Agora percebiam os versos:

*De mochila às costas muito alegres*
*Vamos todos acampar.*
*De mochila às costas muito alegres*
*Vamos todos a cantar...*

Dentro do poço os gritos transformaram-se em autênticos urros.

A cantiga cessou. Pouco depois viram uma série de cabeças debruçarem-se na borda do poço.

— Salvem-nos!

— Ajudem-nos!

Lá de cima atiraram logo uma corda e alguém perguntou:

— É preciso ir aí ou conseguem subir?

Ainda não terminara a frase, já a Teresa se içava com uma incrível agilidade. Quando chegou ao topo viu-se rodeada por uma patrulha de escuteiros vestidos a rigor para uma caminhada na montanha. Eles nem conseguiam formular perguntas. Como é que aquela rapariga tinha ido parar ao fundo de um poço? No momento seguinte recuaram estupefactos porque apareceu outra exactamente igual. Seria um poço mágico?

— Quantas pessoas estão lá dentro? — gaguejou o mais velho.

— Somos cinco.

— Todas iguais?

As gémeas largaram a rir, mas estavam exaustas e sem forças para esclarecer o equívoco. Esperaram portanto que os rapazes se juntassem ao grupo, e um deles que desse as explicações necessárias.

Embora a história fosse inacreditável, nenhum dos escuteiros pôs em dúvida as palavras do Pedro porque acabavam de os salvar. Ninguém se lembraria de passar a noite num poço só para pregar uma peta!

O guia da patrulha ainda aventou a hipótese de irem buscar reforços à casa-abrigo onde estavam acampados mas o João fez-lhes ver que não podiam desperdiçar nem um minuto. A ânsia de libertar o *Faial* deu-lhe asas ao pensamento e para espanto geral apresentou um plano completíssimo, com tantos pormenores que parecia ter levado vários dias a elaborar:

— Na quinta ainda devem estar no primeiro sono. Como julgam que morremos no poço, nunca mais pensaram em nós e podemos agir com segurança. Vocês vigiam as entradas enquanto nós abrimos o galinheiro. Se por azar aparecer alguém à porta da casa, não há problema, porque nunca se desconfia dos escuteiros. Peçam, água para encher os cantis ou qualquer outra coisa.

O guia concordou mas decidiu destacar dois elementos para irem buscar os reforços que tinham previsto.

— Além da minha patrulha vieram mais três ao acampamento de Inverno. É tudo malta fixe, e para uma operação destas quanto mais gente melhor.

— Perfeito. Vamos embora.

— Espera aí, João. Tu sabes o caminho para a quinta?

— Claro que sei. Lembrem-se que deixei lá

o meu cão. Quando nos afastámos prestei atenção a todas as curvas que demos na estrada florestal para poder lá voltar se me safasse.

Os outros olharam-no com orgulho e carinho.

— Estás cada vez mais esperto!

Ele riu-se, fez um gesto para que o seguissem
e pôs-se em marcha.

# Capítulo 16

# Não ladres, *Faial!*

Tinham que ter cuidado para não escorregarem no piso húmido cheio de musgo. A quinta não ficava longe. Quando viram o telhado assomar entre os pinheiros sentiram um baque colectivo mas esconderam os sinais de medo. Separaram-se conforme estava previsto. Os escuteiros rodearam a casa, tentando não provocar qualquer ruído. João precipitou-se para o galinheiro no maior alvoroço. Ainda estava longe e já ordenava:

— Não ladres, *Faial*! Não ladres!

Logo que o cão viu o dono atirou-se ao ar na mais silenciosa manifestação de alegria a que alguma vez tinham assistido. Chico deu vários esticões ao cadeado e acabou por rebentar as tiras de madeira que o seguravam. Depois recuou para que fosse o João a abrir a porta.

*Faial* saltou lá de dentro como louco e os dois rolaram pelo chão num verdadeiro abraço canino. Ainda lhes parecia mentira estarem juntos outra vez!

Os amigos assistiam à cena emocionados.

— Então e nós? Não temos direito a fazer--lhe festas? — perguntou a Luísa.

João ergueu-se todo sorridente e cedeu-lhe o lugar.

— Façam-lhe festas que ele bem merece.

— Talvez não seja aconselhável demorarmos muito. Os tipos podem acordar, e já sabemos do que são capazes.

— Acordar? Eles vão é dormir um sono ainda mais profundo — declarou o João com um sorriso que lhe desconheciam. — Tenho comigo um objecto de efeito instantâneo.

Dito isto, retirou do bolso o *spray* que roubara a Camila.

— Nunca mais me lembrei desta lata. Só agora ao rebolar pelo chão é que notei que ainda estava no bolso do casaco. Se calhar podia tê-la usado quando íamos no carro. É melhor que uma arma.

O único capaz de perceber a conversa era o Pedro, que experimentara aquele maldito produto. Apressou-se a explicar:

— A lata deita um gás que provoca visões esquisitas e põe as pessoas a dormir. Usaram-no contra mim. Agora vou usá-lo eu.

João entregou-lhe o *spray* sem averiguar como tencionava utilizá-lo. Conhecia o amigo. Pedro nunca tomava atitudes precipitadas. Decerto tinha uma ideia.

De facto assim era. Encaminhando o grupo para junto dos escuteiros, pediu:

— Nós escondemo-nos e vocês batam à porta com cara de anjinhos.

O guia ainda perguntou:

— E depois?

— Logo vês...

O rapaz ajustou o lenço enrolado à volta do pescoço, compôs a boina e perfilou-se. Os companheiros rodearam-no de cantil em punho e um sorriso afivelado. Toc... toc... toc...

Ninguém atendeu.

— Insiste — soprou-lhe o Pedro.

De punho cerrado, voltaram a bater. Ouviram então barulho de passos, a porta entreabriu-se e apareceu Torcato, com os olhos empapuçados pelo sono.

— Que é que querem? — perguntou com voz pastosa.

— Dar-lhe uma prenda — disse o Pedro, que surgiu por trás de um arbusto como um boneco de mola. — Toma lá!

Um jacto certeiro fez Torcato meter os olhos para dentro e a língua para fora. Cambaleou e pof! — abateu-se sobre um canteiro.

— Agora sigam-me. Vou dar um prenda igual ao resto do grupo.

Pé ante pé, esgueiraram-se para dentro da casa. O soalho de madeira obrigava a precauções. João mantinha o *Faial* seguro pela coleira. Em caso de necessidade, ele saberia usar os seus famosos dentinhos.

As primeiras bisnagadelas não ofereceram grande dificuldade. Mal o bandido acordava, zás! — punham-no a dormir outra vez. O gás fazia-os sonhar com uma invasão de escuteiros que inchavam, inchavam, como se fossem balões...

Entusiasmado com o sucesso, Pedro esqueceu-se de que o produto não era inesgotável. Ao entrar no quarto de Camila sentiu redobrar a fúria pela figura de parvo que tinha andado a fazer. Vendo a cabeleira loira pousada sobre a cómoda não resistiu e pegou-lhe. Num impulso deu-lhe com ela na cara. A rapariga acordou em sobressalto.

— Já comi toda a canja de galinha de que precisava para te enfrentar, grande parvalhona. Agora prova um pouco do teu remédio, vá!

Para a dominar mais depressa, premiu o botão até a lata ficar vazia.

— Tu estás doido? Ainda faltam os pais...

Precisamente o pai já lá vinha em pijama. Parecera-lhe ouvir barulho no quarto da filha. Chico não perdeu tempo, e vá de cabeçada no estômago. O homem tentou reagir, mas *Faial* mostrou-lhe os dentes:

— Rrrrr...

— Veja lá se quer tentar amestrá-lo agora — disse João no gozo. — Ofereça-lhe um bife com batatas fritas e ovo estrelado. Talvez ele aceite.

O homem bem gostaria de responder à bofetada, mas sem armas nem ajudantes, foi obrigado a render-se. A mulher é que deu mais trabalho. Berrou, esperneou, tentou fugir. Foram precisos cinco rapazes para a atarem a uma cadeira. Os escuteiros, sendo peritos em dar nós que ninguém desfaz, quiseram tratar do assunto. Depois de a terem imobilizado, acharam por bem fazer o mesmo ao resto da quadrilha.

Quando pouco depois as restantes patrulhas apareceram com a polícia, que algazarra monumental!

151

☆

Os dias seguintes passaram-se numa autêntica vertigem. Houve festa na Quinta de S. Francisco, chegaram repórteres, foram entrevistados,
filmados, enfim, uma loucura. Toda a gente queria
conhecê-los e choveram presentes tanto na quinta como na casa-abrigo, porque os donos das jóias
recuperadas quiseram demonstrar a sua gratidão.
Apareceram pacotes de variadíssimos tamanhos e
feitios com coisas lindas, feias, exóticas, horren-
das, úteis, inúteis, fofas, quentes, insufláveis,
muito valiosas ou muito saborosas, enfim, uma
alegria. Até o *Caracol* recebeu de brinde uma
coleira com música que o deixou perplexo.

Na véspera do regresso a casa, reuniram-se
com os escuteiros para um fogo de campo muito especial. Ia haver jogos, canções e ceia à volta
da fogueira como de costume. Mas o remate é
que seria diferente. Tinham combinado soltar o
lobinho de madrugada. Ele já estava bom. Mais
gordo, de pêlo lustroso, cheio de energia, decerto ansiava recuperar a liberdade e ir em busca dos
parentes.

Divertiram-se muito durante toda a noite. Mas
à medida que as horas passavam, o desgosto da
separação insinuou-se. O lobinho era tão querido, tão felpudo, custava-lhes pensar que nunca
mais o tornariam a ver.

O céu tingia-se de vermelho quando subiram
a encosta para a grande cerimónia. Dispuseram-
-se em semicírculo no mais respeitoso silêncio.
João, a quem coubera a tarefa de o devolver ao

mundo a que pertencia, destacou-se do grupo e colocou-o no solo. Ele pareceu ficar hesitante. Ainda virou o focinho para trás, farejou em volta e depois partiu.

Vendo-o desaparecer a caminho daquela outra serra que só as feras conhecem, sentiam o mesmo frémito de comoção e uma pontinha de inveja. Todos gostariam de se transformar em bicho e ir também.

Atrás de um cume da montanha brilhava ainda a Estrela da Manhã.

# Curiosidades da serra da Estrela

De: Pedro Brito e Luís Carrondo

A serra da Estrela situa-se no Centro do País, na região da Beira Interior.

A serra é um grande maciço de formação granítica com extensas planícies na região superior (Nave de Santo António, por exemplo), alguns lagos e lagoas, como o lago Viriato e a lagoa Comprida.

A altura máxima da serra é de 1993 metros. Nos cumes cobertos de neve praticam-se desportos de Inverno.

*A Torre*

Quando se diz que a serra da Estrela tem dois mil metros, não se dá uma informação completamente errada porque no topo foi construída uma torre com 7 metros de altura. Assim, o ponto mais alto de Portugal Continental foi obra da natureza e do homem!

## As cidades

Na encosta desta serra magnífica erguem-se várias cidades:

*Covilhã* — sede de concelho. Pertence ao distrito de Castelo Branco. É a segunda cidade mais alta de Portugal. Tem 35 000 habitantes na cidade e 80 000 no concelho. Trata-se de um centro importante da indústria de lanifícios. Aqui se encontra a Universidade da Beira Interior (UBI).

*Guarda* — capital de distrito e sede de concelho, é a cidade mais alta de Portugal (1056 metros). A sua população actualmente não excede os 18 000 habitantes na cidade e 55 000 nas 54 freguesias do concelho. Tem um clima muito agreste e saudável.

*Gouveia* — sede de concelho, pertence ao distrito da Guarda e é o principal centro de produção do queijo da serra.

*Seia* — sede de concelho, pertence ao distrito da Guarda. As indústrias mais importantes são têxteis e curtumes.

*Manteigas* — pertence ao distrito da Guarda. Situa-se na encosta ocidental da serra da Estrela.

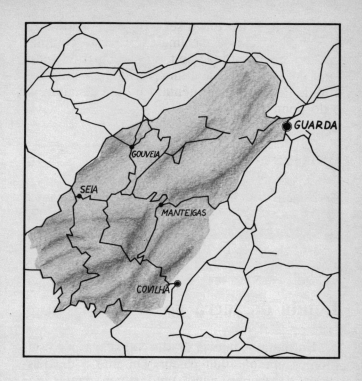

## Os rios

Na serra da Estrela nasce o Mondego e o Zêzere.

O Mondego é o maior rio português. Percorre 240 quilómetros e banha Coimbra, Montemor-o--Velho e Figueira da Foz, onde desagua no mar. Na nascente tem o nome de «Mondeguinho».

O Zêzere nasce numa zona chamada Covão d'Ametade. É um dos maiores afluentes do Tejo.

159

*Grandes rochas em equilíbrio*

# Lenda da serra da Estrela

Em tempos que já lá vão vagueava por estes montes um humilde pastor. Durante o dia passeava o rebanho pelos prados verdejantes que serviam de alimento aos seus animais. Mas ao anoitecer encaminhava-se para uma rocha e sentava-se a olhar as estrelas. Aí encontrava a única amiga — uma estrela a quem noite após noite segredava amarguras, pois sentia-se infeliz e muito sozinho. Nem o vento, nem a chuva, nem a neve o detinham. Mesmo que rebentasse a maior das tempestades ele não faltava ao encontro.

Esta história chegou aos ouvidos do rei, que ficou pasmado. Então havia um pastor que possuía uma estrela? Tinha que lha comprar!

Bem ofereceu riquezas, que de nada lhe serviu.

— Há coisas que não têm preço — disse o rapaz. — Não vendo.

Os anos passaram e um dia o pastor morreu.

Diz-se que a estrela nunca mais voltou a brilhar no firmamento. Mas também há quem garanta que ela volta sempre à noitinha, em busca do pastor...

## A Pedra do Abraço

Contam os velhos serranos que há alguns anos atrás existia um local a que davam o nome de Espinhaço de Cão porque as rochas e calhaus se dispunham exactamente como a espinha dorsal de um cão. Nessa zona erguia-se um grande pedregulho, tão à beira do precipício que a única maneira de passar para o lado de lá era abraçarem-se à pedra. Daí o nome: Pedra do Abraço.

Agora, com as novas estradas circula-se sem dificuldade mas perderam-se alguns destes pequenos encantos da serra.

## O Poio do Judeu

Dizem os nossos antepassados que há muitos, muitos anos andava um pastor judeu a passear os seus rebanhos na serra da Estrela. A certa altura ficou inquieto. Nuvens grossas

*O Poio do Judeu*

e cinzentas aproximavam-se dos cumes mais altos...

Receando a chuva, decidiu abrigar-se. O pior é que tinha mais de mil ovelhas e não as queria deixar ao relento. Podiam aparecer lobos...

Aflitíssimo, pôs-se à procura de um lugar onde coubessem todas. E encontrou uma gruta debaixo de um pedregulho enorme! Enfiou-se lá dentro com o rebanho. A noite foi tempestuosa. Caía chuva em grandes bátegas, ribombavam trovões simultâneos, um horror. Mas o que mais o assustava eram os lobos a uivar ([1]). Ai se tivesse deixado as ovelhas lá fora...

Ao alvorecer e passada a tempestade, cons-

---

([1]) Actualmente ainda há lobos na serra da Estrela. E javalis.

tatou que não só não perdera nenhuma ovelha como nem sequer se tinham molhado. Que rica gruta!

A esta rocha ainda hoje se chama Poio do Judeu.

## Outros locais de interesse

A natureza revelou muita imaginação na serra da Estrela. As rochas tomam formas estranhas e às vezes parecem-se com bichos ou com pessoas.

*A Cabeça da Velha*

*A Cabeça do Velho*

*A Pedra do Urso*

*O Cântaro Magro*

Colecção **ASADELTA**
de **Ana Maria Magalhães**
e **Isabel Alçada**
Ilustrações de **Arlindo Fagundes**

A colecção **ASADELTA** destina-se a divulgar junto dos jovens a arte popular portuguesa de uma forma alegre, divertida, emocionante.

O leitor, enquanto acompanha as personagens no desenrolar da aventura, vai sendo confrontado com temas, técnicas, aspectos históricos da arte popular portuguesa, adquirindo assim, quase sem dar por isso, conhecimentos vários sobre a sua gente e o seu país.

**A·S·A·D·E·L·T·A**

**um voo à descoberta
da arte popular**